LES AILES
de
L'AMOUR

Tome II

Johann Warren

LES AILES
de
L'AMOUR

Tome II

 Éditions de Mortagne

Données de catalogage avant publication (Canada)

Warren, Johann
  Les ailes de l'amour
  Autobiographie.
  Comprend des réf. bibliogr.
  ISBN 2-89074-411-6 (v. 1) - ISBN 2-89074-453-1
  (v. 2)
  1. Warren, Johann. 2. Ovnis - Québec (Province).
3. Médiumnité. 4. Femmes médiums - Québec (Province)
- Biographies. 5. Pilotes d'aéronef - Québec (Province)
- Biographies. I. Titre.
BF1283.W37A3 1991   133.9'1'092   C92-002073-9

Éditions
Les Éditions de Mortagne
250, boul. Industriel, bureau 100
Boucherville (Québec)
J4B 2X4

Diffusion
Tél.: (514) 641-2387
Téléc.: (514) 655-6092

Dépôt légal
Bibliothèque nationale du Canada
Bibliothèque nationale du Québec
4e trimestre 1992

ISBN: 2-89074-453-1

1 2 3 4 5 - 92 - 95 94 93 92

Imprimé au Canada

La Porte du Grand Retour

Je n'ai pas dit que tu étais un enfant,
Je n'ai pas voulu pour toi un autre langage,
Car je savais que tu m'entendrais bientôt.

J'ai traversé pour toi l'infini du temps,
J'ai permis à d'autres de passer la vie,
Afin que tu sois averti de ton Essence Suprême.

Mais sur la route du temps,
Des flammes ont obscurci les Voies de l'Éternel.

Il a fallu alors capter dans les espaces
Les premières lueurs d'un réveil qui s'éternisait.

Enfin, s'annonça l'immensité d'un Grand Jour
Où rien d'Absolu n'était plus impossible.

Tu as su écouter la voix invisible
Qui t'a enseigné les Secrets ignorés,
Et ainsi dans ton être s'est trouvé déversée
L'ultime ambroisie des Célestes Beautés.

Ô combien de joies alors en sont nées,
Et combien de Paix en jaillira bientôt!

Sois Béni, car le temps a descellé
La Porte du Grand Retour.

Idylle Spirituelle
Matais
I.J.P. Appel-Guéry

Je dédie ce livre à
l'«Esprit pur».

Merci à tous mes frères et toutes mes sœurs
qui m'ont appuyée et soutenue
pour la parution de ce livre.

TABLE DES MATIÈRES

PRÉFACE

Il est des temps où le cœur de l'homme ressent le besoin de partager et de communiquer. Aujourd'hui, je ressens ce besoin.

Par ce livre, qui se veut la révélation d'un cheminement spirituel personnel, vous traverserez des moments de rire, d'autres de réflexion et peut-être même des moments où les pleurs baigneront vos yeux, votre cœur.

Un cheminement spirituel est teinté de toutes les couleurs avant de prendre la seule et unique qui soit: celle de la «Conscience Absolue», celle du «Verbe», celle de l'«Un».

J'aimerais profiter de ces quelques lignes pour remercier particulièrement toutes les personnes qui, témoins de ma transformation, acceptent par amitié et par amour les grands changements qui s'opèrent en moi.

Ce cheminement vers une Élévation Supérieure Divine m'est parfois très difficile, mais je sais que cela l'est tout autant pour les êtres qui m'entourent.

Personnellement, j'ai choisi de façon «consciente» et «volontaire» de vivre ces profondes transformations intérieures. Cependant, je comprends que ceux qui m'ont connue telle que j'étais il y a dix ou vingt ans doivent s'ajuster à mon nouveau parcours de vie.

À vous tous qui m'entourez et qui restez encore à mes côtés, j'aimerais dire que je vous aime inconditionnellement et que je pense très souvent à vous.

Avez-vous compris que vous cheminez vous aussi à votre façon? Que c'est peut-être la raison principale de notre lien, de notre union, quelle qu'elle soit?

À vous tous qui entourez amoureusement, amicalement et inconditionnellement tous ceux et celles qui sont en cheminement spirituel, je dis merci et bravo!

Je ne voudrais point oublier les personnes qui cheminent «consciemment» et «volontairement» et toutes les autres qui lisent cette préface et ne sont ni de cette dernière catégorie ni de la précédente.

À chacune d'entre elles, je souhaite la découverte de son Être Intérieur, de son Être Divin et Cosmique en tant qu'Enfant de la Conscience Absolue.

Cosmiquement vôtre,
Johann Warren

MOT DE L'AUTEUR

Le présent ouvrage a été conçu de façon que le lecteur puisse faire un temps d'arrêt entre chaque chapitre.

Ce temps d'arrêt est proposé à toute personne désirant se recentrer afin d'intégrer davantage sa lecture. Cet exercice a pour but d'habituer celle-ci à prendre contact peu à peu avec son Énergie, la progression énergétique d'un chapitre à l'autre nécessitant une concentration.

Vous trouverez d'ailleurs, tout au long de ce volume, les exercices de méditation et de recentralisation à pratiquer pour atteindre ce but.

Cependant, si vous souhaitez seulement faire une lecture mentale, vous pouvez délaisser les passages en italique, qui comportent des conseils d'intériorisation.

Je souhaite qu'en lisant ce livre vous puissiez saisir l'essentiel de chaque phrase écrite et du message qui y est transmis du début à la fin.

Nous sommes toujours libres de prendre nos décisions, quelles qu'elles soient, tout comme la responsabilité de celles-ci nous incombe.

C'est pourquoi, avant de commencer cette lecture, je vous invite à un moment de recueillement.

Afin de vous intérioriser davantage, respirez calmement, doucement et profondément... Placez-vous ainsi en état de réceptivité pour pouvoir capter plus facilement la trame de ce qui est présentement écrit pour chacun de vous.

***

MÉDITATION

Maintenant que vous êtes plus réceptif aux réalités du monde intérieur, vous allez visualiser, par un beau matin d'été, un lac tranquille, dont la surface reflète le ciel, comme un miroir...

Vous goûtez la plénitude de cet instant de paix en respirant calmement et en prenant conscience de l'énergie qui circule à l'intérieur de vous, en même temps que vous inspirez et expirez doucement...

Vous rentrez progressivement à l'intérieur de vous-même, dans ce corps subtil qui vous permet de faire cette visualisation.

Vous essayez d'en percevoir le centre énergétique qui correspond au chakra du cœur, au centre de la poitrine, et vous continuez à respirer calmement.

Vous visualisez ce chakra, qui devient de plus en plus lumineux. Ne forcez rien, faites-le selon votre inspiration et vos capacités.

Vous allez maintenant pouvoir reprendre votre lecture en essayant d'avoir, en plus de votre compréhension mentale, une perception intérieure du contenu de ce livre...

Vous reprendrez ce voyage d'intériorisation au cours de votre lecture.

***

Au moment où j'écris ces quelques lignes, je suis moi-même dans cet état, et je crois que si vous et moi faisons chacun l'effort de nous maintenir à ce diapason vibratoire, cet échange et cette lecture nous enrichiront merveilleusement.

Je vous le souhaite de tout cœur.

Que la Paix soit en vous

et

Que la Conscience Absolue vous guide.

Chapitre 1

À la suite des nombreuses conférences et des cours que j'ai donnés, j'ai ressenti, par les questions qui m'ont été posées, que je devais expliquer plus en profondeur certaines initiations vécues.

Dans le dernier chapitre de mon premier livre, *Les Ailes de l'Amour*, j'ai mentionné ma rencontre avec le Bienheureux Maitraya, le Rigden-jyepo qui est le Régent de la Cité de Shambhalla, cette Cité céleste où vivent les Grands Maîtres.

C'est en juin 1990 que je reçus cette visite magnifique. Un passage du livre *Shambhalla*, de Nicholas Rœrich, m'avait particulièrement marquée: «[...] La lumière sur la Tour de Shambhalla brille comme un diamant. Il est là – Rigden-jyepo –, infatigable, toujours vigilant pour la cause de l'humanité. Ses yeux ne se ferment jamais. Dans son miroir magique, il voit tous les événements terrestres. Et la puissance de sa pensée pénètre jusque dans les territoires les plus reculés. La distance n'existe pas pour Lui; instantanément, Il peut apporter son aide à ceux qui le méritent. Sa puissante lumière peut détruire toute obscurité. Ses incommensurables ressources sont disponibles pour aider tous ceux qui, étant dans le besoin, offrent de servir la cause de la vertu. Il peut même modifier le Karma des êtres humains [...]»

Voilà, ce sont ces quelques lignes qui déclenchèrent en mon cœur le désir de solliciter la visite du Bienheureux au cours de cette fameuse nuit: car Il pouvait aider tous ceux qui étaient dans le besoin et qui offraient de servir la cause de la vertu...

Je considérais que c'était mon cas: je voulais aider l'humanité. Mais il me fallait de plus grandes possibilités. Alors, en ce soir de juin 1990, je demandai au Bienheureux Maitraya dans ma prière de venir me visiter au cours de cette nuit, car j'avais besoin de Lui parler.

Je croyais fermement qu'Il viendrait, car il est écrit: «Demandez et vous recevrez, frappez et l'on vous ouvrira.»

Il allait venir, je n'en doutais point, et je m'endormis avec son nom en tête, sans oublier de Le remercier à l'avance.

Et, au cours des heures qui suivirent, mon Guide, «Jésus», celui-là même à qui j'ai dédié *Les Ailes de l'Amour*, tome I, me réveilla physiquement. À cette époque, tous les phénomènes que je vivais étaient assez spectaculaires. Et chaque fois que cela était nécessaire, je me faisais réveiller par mon Guide de l'Invisible. Je me suis donc assise dans mon lit, mon mari dormant à ma gauche. Je me demandais ce qui allait se passer. En quelques secondes, un nuage blanc se forma entre le pied de mon lit et le mur d'en face, distant d'environ un mètre et demi.

Quelques secondes plus tard, le Bienheureux Maitraya apparaissait, assis sur ce nuage. Il se matérialisa complètement sur ce nuage cotonneux. Il n'était pas transparent mais dense. Je n'en revenais pas!

Il bougeait la main droite, comme pour me saluer, et Il clignait des yeux. Je croyais qu'Il était vivant. Il était là, devant moi, et je ne me rappelais plus les questions que j'avais à lui poser. Malgré toutes les expériences et initiations que j'avais vécues jusque-là, cette rencontre, en cette nuit de juin 1990, me marqua au point de me transformer.

Il me sourit et me dit, télépathiquement, qui Il était, quoique je L'avais reconnu. Ensuite, de son index gauche, Il me montra le mur en face de moi où se déroulait, en grand format, une sorte de projection vidéo en couleurs. Je vis un personnage de dos et je le pris immédiatement pour un lama. Ses longs cheveux noirs et brillants tombaient sur ses épaules et Il portait une robe blanche immaculée, sans aucune couture. Il était dans la position du lotus, une position de méditation. Je captais l'énergie tibétaine. Ce lama se trouvait dans une espèce de cellule faite de vieilles pierres inégalement taillées. Soudain, j'eus un coup au cœur quand cet Être releva la tête et qu'Il la tourna doucement vers moi, par la gauche. Son profil se précisa peu à peu. Ainsi se dessinèrent ses yeux; profonds et noirs, on aurait cru qu'ils me scrutaient. Sa peau était d'une blancheur incomparable. Et le Rigden-jyepo, seul témoin de cette scène, me dit, toujours télépathiquement: «C'est avec cet homme que tu auras à travailler.»

Estomaquée, je réussis à dire: «Avec ce lama?»

«Non, répliqua le Bienheureux Maitraya, mais avec ce Frère... appelle-le Frère Yopo.»

Et subitement, je me rendormis physiquement, comme chaque fois que je vivais des expériences semblables.

Trois jours plus tard, je fus à nouveau réveillée en pleine nuit par mon Guide, et de la même façon. Cette fois, je ne vis pas le Bienheureux Maitraya, mais je reconnus fort bien sa voix. Le vidéo réapparut sur le mur de ma chambre à coucher. Il s'agissait du même Frère Yopo, non plus habillé d'une longue robe blanche, mais bel et bien vêtu comme tout le monde pouvait l'être en cet été 1990. J'eus droit à une vue générale de son aspect physique. Le focus mis sur son visage me permit de le voir de très près et en gros plan. Ses cheveux, toujours noirs mais plus courts, étaient coiffés de façon plus moderne et son front était légèrement dégarni. Par contre, ses yeux, toujours aussi noirs, lançaient le même regard qui m'avait pénétrée au plus profond de mon être, trois nuits auparavant. Le teint blanchâtre était le même, et je pouvais facilement reconnaître le même nez, les mêmes oreilles, les mêmes lèvres. Le Bienheureux Maitraya me dit: «Voilà le Frère Yopo, tel qu'il est actuellement, en 1990. Tu auras à travailler avec ce Frère.»

Je me suis à nouveau rendormie, n'ayant pas le temps de penser à poser des questions. De toute façon, aurais-je pu réussir à sortir un son de ma bouche? J'en doute fort.

Je peux vous assurer que lorsque je me suis réveillée, le lendemain, je savais que j'allais rencontrer ce fameux Frère Yopo. J'en étais persuadée. Je ne savais pas qui il était ni où il vivait; je n'avais jamais entendu parler de lui mais j'étais persuadée, et je ne me posai aucune question làdessus, car dans mon cœur il n'y avait aucun doute, que j'allais rencontrer cet Être en temps et lieu.

Je ne le constatais pas encore à l'époque, mais lorsque le disciple est prêt, le Maître se présente. Naturellement, il s'est écoulé plusieurs mois avant que je le rencontre, mais j'ai compris que le temps qui m'était accordé était des plus précieux, car il me permettait de me préparer. Le temps est un ami incomparable si nous savons nous en servir.

Le lendemain de cette visite mémorable, je me trouvais dans un état magnifique: c'était comme si je flottais au-dessus de l'herbe sur laquelle je marchais. Je demeurai cinq jours dans cet état d'extase et d'euphorie qui me faisait rayonner merveilleusement, intérieurement et extérieurement.

Avec ces deux événements nocturnes, je venais d'entrer en contact avec une énergie dispensée par un Être, le Frère Yopo. Je découvrirais quelques mois plus tard que j'avais déjà connu ce Frère plusieurs milliers d'années auparavant. C'est son énergie que je captai en premier, mais à l'époque, je n'aurais pu décrire le bonheur qui m'envahissait à la suite de ces contacts. Mon Être Cosmique, mon Être Intérieur reconnut cette énergie ramenée par le Frère Yopo; c'était là l'essentiel.

Le lendemain, mue par une impulsion incomparable, j'appelai mon correspondant en Polynésie; il faisait partie du groupe Galacteus. J'avais entendu parler de ce mouvement par une connaissance, un an et demi auparavant. Cette personne avait insisté pour que j'écrive à Galacteus afin de raconter sur cassette mes expériences et mes contacts avec les ovnis, ce que je fis. Je racontai donc mon vécu dans ce domaine qui recouvrait mon enfance, mon adolescence et ma vie adulte. Je mentionnai mon travail d'instructeur pilote, mon voyage au Pérou avec dédoublement conscient à bord d'un vaisseau et mon initiation par la Connexion Terre-Ciel au mont Mégantic, ici même au Québec.

Deux mois plus tard, je reçus une réponse formidable de l'organisation, mais je n'y donnai aucune suite. En 1988 et 1989, je travaillais plus mon style «Castaneda», ce qui n'avait rien à voir avec l'énergie de Galacteus. Inconsciemment, je le sentais, et mon Guide me le fit comprendre de différentes façons, il me fallait soit terminer mon travail «Castaneda» soit l'abandonner complètement. J'optai pour l'abandon afin d'établir un contact plus étroit avec Galacteus.

J'aimerais ici préciser que je ne tiens pas à critiquer l'entraînement de Carlos Castaneda, bien au contraire. Mais Galacteus correspondait mieux à ce que j'étais.

À cette époque, je ne connaissais rien de comparable à Galacteus au Québec. Galacteus agit à la verticale, en traversant tous les plans de conscience, et non en se spécialisant sur l'horizontale.

Lorsque je réussis à reprendre contact avec mon correspondant polynésien, celui-ci m'apprit que le groupe Galacteus était de retour en France après huit années passées en Polynésie française et qu'une rencontre internationale était prévue.

Déjà, mon Être Intérieur entrait en résonance et vibrait en parfaite harmonie avec l'Énergie de Galacteus.

Cela me rendit très heureuse, car je savais que je visais juste, je savais que je prenais le droit chemin. On le sent à l'intérieur de soi, on ressent ces choses-là au fond de son cœur: pas besoin de le crier, de le prouver à quiconque. Lorsqu'on sait que l'on est sur le bon chemin, on sent comme une étincelle à l'intérieur de soi qui fait jaillir la Lumière... Il est alors possible de voir exactement où l'on va. Tout est si simple et d'autant plus merveilleux.

Être dans un tel état vous fait rayonner d'une façon telle que les gens autour de vous se demandent ce qui vous arrive. Ils désirent savoir immédiatement comment vous faites pour être aussi heureux.

Je me rappelle cette période où j'avais un sourire perpétuel sur les lèvres, car «je savais». Mais même si j'avais essayé d'expliquer quoi que ce soit, je crois que les gens n'auraient pas pu comprendre. Il faut, pour comprendre, se trouver dans l'état vibratoire nécessaire, il faut être au diapason. Et ce n'est que lorsqu'on travaille intimement avec des êtres pour les aider dans leur cheminement spirituel, qu'on peut parler de ces choses-là... Autrement, il nous faut respecter le secret du sacré.

Cet élan qui était en moi me poussa à créer un premier groupe de méditation en septembre 1990. Ce groupe se développa rapidement, à tel point que nous fûmes obligés, après quelques mois seulement, de chercher un local plus grand.

En octobre 1990, je reçus de Galacteus-France une cassette audio sur laquelle apparaissait la photo du compositeur. Je reconnus l'homme que j'avais vu sur le mur de ma chambre et que le Bienheureux Maitraya m'avait présenté sous le nom de Frère Yopo. C'était «lui», je le reconnaissais, et c'était le fondateur même du mouvement Galacteus. Une joie extraordinaire s'empara de moi en même temps qu'une douce paix, car je venais de «le» trouver. Je savais enfin qui était le Frère Yopo. J'étais récompensée dans ma foi, car j'avais toujours su qu'au moment propice, le signe se présenterait. C'était formidable!

J'ai toujours procédé de cette façon-là depuis le début de mon cheminement spirituel, il y a quatre années de cela. C'est comme si j'avais une confiance innée, naturelle, ou peut-être comme, ainsi qu'on me l'a déjà dit, j'avais «une innocence en moi», qui faisait partie intégrante de moi et qui faisait que sans peur et sans y penser plus que ça, je savais que les choses allaient se faire. Le temps qui m'était accordé avant que ces choses se fassent me permettait de me préparer.

En janvier 1991, je m'envolai vers les cieux de la France. Enfin, j'allais avoir mon premier contact avec Io, J.P. Appel-Guéry et son mouvement.

Io est maintenant très important dans ma vie spirituelle. Je sais qui il est. Personnellement, je le considère comme un Maître, mais je sais aussi qu'il est plus que cela.

Si vous êtes «branché» en lisant ces lignes, montez dans votre axe et, en respirant calmement, entrez en résonance avec la Dimension Supérieure et osez demander qui est Io. La réponse que vous recevrez, le retour, l'écho, est «bien» mais dites-vous qu'il est encore plus que cela. Je ne peux vous en dire plus, car il me faut, encore une fois, respecter le secret du sacré. Un Être qui atteint un certain niveau de conscience après un travail acharné peut se voir dévoiler certains renseignements... mais tout cela fait partie d'une longue initiation.

Lorsque je me suis rendue en France, où vit ce groupe, j'éprouvais une certaine réticence. J'ai toujours été une fille solitaire, pas du genre à m'insérer dans un groupe.

Je voulais voir comment se comportait ce groupe mais je craignais, comme bien d'autres, j'en suis certaine, que ce groupe soit plutôt axé sur le côté sexuel. De cela, je me méfiais grandement.

Vous me direz que je suis une personne à principes; oui, je l'avoue. Et en plus, je devais surveiller Io pour savoir s'il manipulait les êtres qui l'entouraient, s'il jouait au gourou ou s'il profitait de son pouvoir, car certains de ces individus peuvent facilement devenir des dictateurs et profiter de la confiance totale et complète que les gens mettent en eux. Donc, je me méfiais, et je crois que cela devait paraître dans mon comportement.

Voyez-vous, j'étais d'autant plus sur mes gardes que deux ans plus tôt, alors que j'étais au Pérou, j'avais accepté, lors de ma montée éthérique à bord du vaisseau de Lumière, non seulement d'écrire un livre, ce qui est maintenant fait, avec *Les Ailes de l'Amour*, tome I, mais aussi de créer un groupe de mouvement spirituel afin d'aider les êtres humains à s'élever davantage vers la Conscience Supérieure. Je cherchais donc un groupe ayant une expérience réelle et positive. Je ne voulais pas revenir au Québec en faisant état de n'importe quel contact ni ramener n'importe quel programme d'enseignement.

Je voulais vraiment voir ce qu'était Galacteus et ce voyage me permit de prendre le pouls du groupe, de le palper. Je vous avoue que j'étais très tendue au cours de ces deux semaines, ce qui rendait mon sens critique très aigu et ce qui me permit de voir ce qu'était véritablement Galacteus.

Galacteus était un mouvement authentique et foncièrement honnête dont le programme réel était bien celui annoncé: vivre la totalité de son être cosmique, selon les principes de Vérité, de Bonté et de Beauté.

C'est au cours de ce voyage en France que je commençai ma formation, mais je ne m'en rendis compte que plusieurs mois plus tard. Je vous raconte.

Tout humain porte en lui une portion assez incroyable de ce charmant défaut qu'est l'orgueil. Le mien avait été piqué au vif lors d'une réunion générale qui avait eu lieu durant ce voyage.

Cette réunion se déroulait dans une grande salle, à l'endroit même où je logeais pendant ces deux semaines. Près de cent personnes étaient présentes pour ce travail avec Io. J'étais parmi les six dernières à attendre leur tour pour entrer et j'étais la première des six.

La porte était fermée, mais elle s'ouvrit soudain, et Io lui-même apparut. Il me regarda droit dans les yeux et il nous dit d'une voix forte: «Nettoyez-vous d'abord.» Et il referma la porte sur le bout de mon nez.

Vous pouvez imaginer dans quel état je me trouvais. J'étais incapable, à cet instant, de comprendre que cela faisait partie d'un test qu'il me fallait passer. Test sur mon orgueil, et sur certains autres points aussi.

Je sentis tout mon être bouillonner. La colère grondait en moi et ma révolte était sur le point d'éclater. Si mon Guide avait voulu me communiquer un message à ce moment, je n'aurais pu en capter l'essence, tellement je me sentais humiliée.

Ma fierté était blessée, car celui que j'étais venue voir venait de me fermer la porte au nez. Je ne savais plus que faire.

Heureusement qu'une personne qui était arrivée à la même date que moi me rassura et qu'elle me suggéra de demander à mon Guide ce qui se passait. Elle avait raison de me donner ce conseil et je l'en remercie.

Je montai alors à ma chambre, juste au-dessus de la grande salle de réunion. Lorsque j'eus réussi à me calmer, mon Guide me dit que je passais un test, que je n'avais pas à perdre mon sang-froid. Je devais retourner à l'endroit où je me tenais auparavant et attendre avec les cinq autres personnes qui s'y trouvaient.

Mon Guide m'avertit de me taire quand je me retrouverais en présence de Io. Je redescendis donc et attendis. Cette attente me parut très longue.

Les personnes qui assistaient à la réunion sortirent enfin de la salle. Ma tension recommençait à monter et de nouveau, la colère en moi refaisait surface. On avait osé me dire non, vous vous rendez compte?

Jusqu'alors, personne dans ma vie ne m'avait dit non, ne m'avait refusé ce que je voulais ou désirais. Les quelques rares fois où cela s'était produit, j'étais toujours arrivée à sauvegarder mon image extérieure, à ne pas perdre la face devant les autres; vous saisissez ce que je veux dire?

Mais, cette fois-ci, je n'avais pas vu venir le coup, je ne m'y étais pas préparée. Je m'en voulais et j'en voulais à Io; en un mot, j'en voulais à tous et à chacun.

Je sais maintenant que Io s'était tout simplement mis à mon diapason. Il avait touché ma corde la plus sensible: l'orgueil.

Je comparerai cette histoire à celle du lapin qui cherche à attraper une carotte. Si vous placez la carotte devant le lapin, il va courir vers l'avant, à l'horizontale. Mais si vous élevez graduellement la carotte, le regard du quadrupède affamé se fixera de plus en plus haut et de plus en plus à la verticale, ne désirant qu'une chose: attraper cette carotte, sa nourriture. Peu à peu, le lapin modifiera sa course à l'horizontale pour en arriver à s'étirer sur ses pattes arrière et à s'allonger doucement, prudemment, en se concentrant et en se centrant afin de ne pas perdre l'équilibre. Il commencera alors à s'élever verticalement afin de monter plus haut pour attraper cette carotte. L'image est peut-être simple, me direz-vous, mais elle parle par elle-même.

Il en a été de même pour moi: ayant été frappée de plein fouet dans mon orgueil, j'ai dû ralentir, car j'étais blessée à l'intérieur et il m'a fallu m'arrêter afin d'analyser la situation. Je n'avançais plus dans ma course, car il me fallait trouver les mots justes pour dire à ce monsieur qu'il n'avait pas à me traiter de la sorte.

Mais, pour le regarder, il me fallait élever mon regard, car Io se trouvait placé trop haut pour moi... il me fallait donc regarder plus haut, et j'étirai la tête afin de lui communiquer ce que je voulais lui faire savoir. En m'étirant de la sorte, je commençai peu à peu et inconsciemment à quitter le plan horizontal... et à me rapprocher légèrement de l'axe... Vous me suivez?

En m'étirant ainsi, j'abandonnais un peu d'orgueil, je m'allégeais et déjà, je le constate bien maintenant, même si cela était à peine perceptible à ce moment-là, je commençais à m'élever à la verticale... Tout est là.

Le plus difficile pour moi, ce fut lorsque Io sortit enfin de la salle. Heureusement que je me suis rappelé les paroles de mon Guide, quelques minutes plus tôt: «Surtout, tais-toi!» et j'obéis sagement.

Io me regarda droit dans les yeux, y lisant sûrement la grande colère qui s'y logeait. Il nous dit simplement: «Quelle belle journée!» ou quelque chose du genre en souriant. Je bouillis davantage et je le fixai du regard, mais je n'arrivais pas à lui en vouloir.

Cette attitude eut l'effet d'un calmant sur moi. J'étais surtout heureuse d'avoir, encore une fois, fait confiance à mon Guide de l'Invisible. Ce fut une autre confirmation que le message qu'Il m'avait envoyé était véridique.

Voilà comment se déroula ma première rencontre avec le Maître, qui me plaça face à moi-même, face à mon orgueil. Il n'y avait pas de temps à perdre. La question était de savoir si je voulais travailler sur moi, car autrement, la mission ne pourrait être accomplie.

Le travail, la mission que l'on m'avait confiée au Pérou commençait. Mais il me fallait pour cela accepter de faire un travail immense sur mon moi inférieur et sur mon moi extérieur afin de réussir à capter et à travailler mon Moi Intérieur, toujours dans le but de monter vers le Supérieur.

En agissant comme il l'avait fait avec moi, lors de notre première rencontre, Io m'avait rendu service, je l'avoue, et aujourd'hui, je l'en remercie.

Dès mon retour au Québec, j'ai créé Galacteus-Canada et je suis très heureuse d'avoir mis ce mouvement sur pied, car la demande québécoise est grande. Je commençai donc à dispenser les enseignements de ce programme. Ce ne fut pas toujours facile mais comme je restais en contact permanent avec Galacteus-France, je reçus une formation qui complétait superbement l'expérience vécue au travers des contacts que j'avais eus et des messages que j'avais reçus au cours des années précédentes.

Il y avait déjà quelques années que Galacteus avait établi des contacts avec des personnes vivant au Québec, mais personne n'avait encore commencé à transmettre ce qu'il avait pu apprendre avec l'organisation. Lors de mon passage, je devais prouver que j'étais sérieuse, car il n'était plus possible d'investir inutilement un temps précieux alors que la planète entière criait au secours.

Lorsque notre «Père» nous demande d'agir immédiatement, il ne s'agit pas de répondre: «Oui, je commencerai demain matin.» Il faut agir tout de suite; sinon, on peut manquer le train, et le train suivant peut passer trop tard pour effectuer notre correspondance!

C'est au cours de ce voyage en France que s'est déclarée la guerre dans le golfe Persique. J'ai alors pu voir le groupe Galacteus-France travailler presque jour et nuit afin d'apporter une solution de paix à la planète.

Je rentrai à Montréal heureuse de ce premier contact et rapportant dans mes bagages quelques cassettes pour m'aider à enseigner le programme Galacteus. Avec cela, je pouvais commencer mon travail personnel.

C'est ainsi qu'en mars 1991, neuf personnes de mon petit groupe et moi-même achetèrent leur billet d'avion pour aller passer deux semaines en juin 1991 dans la communauté de Galacteus-France.

Ce voyage initiatique a été important et même crucial pour notre évolution, mais ce n'en était pas pour autant plus facile. On réussit quand même à passer à travers.

Maintenant, je sens qu'il est temps pour moi de communiquer aux êtres qui me suivent cet enseignement merveilleux du programme initiatique de Galacteus; programme qui vise la jonction cosmique de l'être humain. Je pourrai ainsi recevoir des renseignements venant d'un niveau supérieur. Il en est ainsi en spiritualité: on ne peut avancer plus loin si on n'a pas su tendre la main à ceux qui nous suivaient. Telle est la loi.

Ainsi, chacun peut avancer à son propre rythme, en consommant la nourriture spirituelle qui lui est donnée. Il en est de même pour moi et pour tous ceux qui sont placés plus haut que moi.

MÉDITATION

Vous allez maintenant calmer les pensées et les émotions qui ont pu être déclenchées par la lecture du premier chapitre.

Retrouvez le silence intérieur, le lac tranquille, l'intérieur de votre corps subtil.

Percevez que votre chakra du cœur émet une lumière d'un blanc jaunâtre intense.

Progressivement, élevez à partir de ce chakra un axe bleuté très fin jusqu'au sommet de votre tête. Prenez le temps d'animer cet axe d'une énergie de plus en plus intense en respirant calmement et profondément.

Reprenez tranquillement votre lecture en essayant de percevoir au-delà de votre mental rationnel les ouvertures que ces pages peuvent vous donner sur d'autres dimensions de la réalité.

***

Élan
Vers l'Alliance Ultime

Il est des matins innocents
où l'on s'avance dans la vie
sans comprendre, ni savoir.

Il est des matins de retour,
où on a l'esprit insérant
la Vérité première.

Il y a des formes qui s'avancent
et qui sont le désir de Retour.

La forme la plus gracieuse qui soit,
c'est celle qui va s'envoler
vers la Communion Suprême.

Embrasement de l'Amour
ouvrant la porte de la force,
quittant les fleuves de la mort
pour renouveler son Alliance Ultime.

Idylle Spirituelle
I.J.P. Appel-Guéry

Chapitre 2

Juin 1991, Jaugy, France

Le groupe Galacteus-Canada et moi avons vécu certaines initiations en France, dont l'une presque à la veille de notre retour à Montréal. C'est au cours de cette dernière que s'est effectué le changement de mon guide dans l'Invisible. Il faut bien comprendre ici que les neuf personnes qui m'accompagnaient dans ce voyage n'ont pas eu à changer de Guide, absolument pas.

Quelques mois plus tôt, soit en janvier 1991, j'avais été avisée par mon Guide, avec lequel je travaillais depuis maintenant quatre années, de son départ imminent. Il m'avait annoncé qu'Il allait me quitter et que cette séparation allait être positive pour moi comme pour Lui. Il avait terminé de m'enseigner ce qu'Il devait m'enseigner et Il avait comme devoir de laisser un autre Guide prendre charge de ma personne.

Je me souviens fort bien que cela m'avait vraiment peinée et que je l'avais boudé. Vous avez bien lu: je l'avais boudé, comme cela m'arrivait à l'occasion avec Lui. C'est une réaction assez enfantine, je vous l'accorde, mais voyez-vous, on ne peut être parfait du jour au lendemain.

En juin 1991 donc, sans trop m'en rendre compte, j'ai effectivement changé de Guide.

Vous me poserez alors la question suivante: «Comment se fait-il que tu ne te sois point rendu compte de ce changement?»

La réponse, fort simple, comprend deux volets. Premièrement, il faut dire qu'une initiation se vit à plusieurs niveaux à la fois et que, personnellement, j'étais restée accrochée à un niveau. Ce qui fait que je n'ai pas constaté, sur le coup, ce changement de Guide. Deuxièmement, je dois avouer qu'à l'époque, je me laissais trop facilement distraire. Il n'est pas facile d'éloigner la distraction, pas facile d'«être» consciemment et ce, à chaque instant.

Au cours de cette période, je croyais qu'il était plus important de donner le maximum à mon équipe. Je me souviens que durant mon voyage, j'avais à peine dormi, tellement je consacrais de temps aux personnes qui étaient venues en France avec moi.

Nous, les femmes, devons faire attention à ne pas trop donner... car notre instinct maternel fait que trop souvent, sans nous en rendre compte, nous nous laissons emporter par un flot d'émotions maternelles et nous nageons dans les problèmes des autres, croyant bien faire, naturellement.

Depuis, j'ai appris. Les expériences ont ceci de merveilleux qu'elles nous enseignent des choses, mais il nous faut éviter de répéter l'expérience vécue, encore et encore. Sinon, on y perd sa vie.

Certaines personnes peuvent passer leur temps à revivre toujours les mêmes expériences, sans s'en rendre compte. Bien entendu, le vécu de chacune est différent, mais la trame de fond est la même, ainsi que la leçon à tirer de cela.

«On a déjà fait des expériences, comme le dit Io, dans *Message d'Harmonie*, et on ne veut plus être engagé dans des choses qui ne sont pas ce qu'on voulait. On a acquis la force et l'expérience de pouvoir dire qu'on ne veut plus être engagé dans quelque chose que l'on n'a pas choisi. On a envie de se ressourcer, de redevenir ce que l'on était à l'origine, dans le principe. Petit à petit, il faut lâcher de nous tout ce qui n'était pas associable à cette perfection et qui a trouvé d'autres alliances ailleurs.»

Un peu plus loin sur la cassette, on peut entendre: «Donc, limiter l'expérience extérieure, la faire peut-être si on en a vraiment besoin, mais savoir dès le départ la faire à l'intérieur de certaines limites et en mesurer le peu de valeur par rapport à la sainte communion avec l'Esprit pur.»

Dès ma première méditation, après mon retour de France, j'ai revu Celui qui avait été mon Guide; je le vis non pas à mes côtés, comme d'habitude, mais au fond de la pièce. Il me dit: «Tu te souviens, Johann, je t'avais dit que tu changerais de Guide; maintenant, c'est fait.» Et il ajouta: «À présent, je n'ai plus le droit de t'approcher.»

J'eus beaucoup de peine en voyant ce Guide d'Amour se tenir loin de moi. Par contre, je constatai au bout de quelques jours que j'étais prête à accepter son départ. Mes quelques mois de préparation avaient de toute évidence travaillé pour moi. Et voilà encore que le temps devenait un de mes meilleurs alliés.

Je continuai à méditer, me demandant quand j'allais rencontrer mon nouveau Guide. Je n'eus pas longtemps à attendre, car le jour même, je trouvai à l'intérieur de moi une échelle à l'aide de laquelle je pus m'élever. Au bout d'un certain temps, je me rendis compte que je ne marchais plus à l'horizontale, comme sur la Terre, mais que je montais à la verticale. Cette échelle, je ne savais pas où elle s'arrêtait, ni où elle me conduisait, mais je sentais qu'il fallait que je monte. J'étais heureuse au cours de cette méditation; tout allait pour le mieux.

C'est en franchissant quelques échelons de plus que je rencontrai mon nouveau Guide. Il me tendit la main, ce qui me fit relever la tête. Là, je Le vis avec ses longs cheveux blonds et ses yeux bleu ciel. Il était vêtu d'une longue robe immaculée et son corps était mince et athlétique.

Ses manières posées lui donnaient une image de sagesse alors que son caractère très taquin se mariait curieusement à une certaine sévérité.

L'enseignement qu'il allait d'ailleurs me donner devait être teinté d'une certaine discipline à laquelle je dus me plier.

Il était effectivement très discipliné, très strict dans ce qu'Il disait et faisait. Il était beaucoup moins large en Énergie que mon premier Guide; Il était d'une tout autre dimension.

Tout en Le regardant, je continuais à monter vers Lui et je me retrouvai alors sur une sorte de plate-forme. Il se présenta à moi et je fis de même, quoique ce n'était pas nécessaire.

Je me demandais la raison de ce changement de Guide. Je n'en comprenais pas la nécessité. Il me fallait donc être «transférée» en quelque sorte vers quelqu'un d'autre. Justement, j'allais vivre un transfert à tous les niveaux au cours des jours suivants. Même si je me pensais prête à ce changement dans ma vie spirituelle, ce fut difficile. Il me fallait m'habituer à ce nouveau Guide qui possédait une nouvelle forme d'Énergie.

Toutes mes notions de médium se modifièrent alors, et c'est cela que je trouvai particulièrement diffi-cile, non seulement à accepter mais à adapter à ma vie. Tous mes points de repère en voyance étaient changés. Je n'avais plus aucune de mes références habituelles.

La discipline qui émanait de ce nouveau Guide de l'Invisible eut sur moi l'effet d'un choc, et je ne savais pas si j'arriverais à travailler avec Lui.

Lorsque je Lui demandai son nom, Il me répondit: «Ioan».

J'étais stupéfaite. Le même nom que le mien, Johann, que l'on peut aussi écrire Yohann.

Ioan était un androgyne et il m'apportait le com-plément de ce qui me manquait, du moins pour un certain temps, afin que je puisse prendre conscience de certains points.

Cette question de l'androgynat est évoquée par IJ P. Appel-Guéry dans la brochure numéro 13 de *Préscience*: «Il n'y a que deux sortes d'androgynat. Celui qui est créé par l'intériorité et qui a la conscience et l'énergie en communication et celui qui est créé par l'extériorité mais qui ne déplace pas ses systèmes en transfert intérieur, dans une configuration extérieure où les deux expressions de l'unité, le mâle et la femelle, sont présentes.

»Si vous désirez rétablir la communication avec ceux qui sont les unitaires, il faudra que vous choisissiez l'androgynat interne. Si vous désirez traiter avec les configurations de l'extérieur, vous trouverez une sorte d'androgynat sur l'extérieur. Mais ne laissez pas vos corps s'apesantir dans ces zones, car elles sont non numérables.

»Celui qui a traité uniquement sur une sorte d'androgynat extérieur ne codifiera pas son circuit sur les antennes de l'unité, car il y a dans le corps intérieur des configurations qui doivent être extrêmement bien organisées pour que le corps puisse se réintégrer sur les antennes unitaires.

»Et celui qui ne s'occupe que de sa fonction extérieure pour traiter ses codifications d'insertionlumière sur une zone unitaire aura bien des difficultés à se déplacer dans un système de transfert sumérien parce que sa conscience extrême ne pourra pas se rapatrier sur une conscience interne, et c'est seulement cette conscience interne qui peut recentraliser le système énergétique qui créera l'androgynat interne.

»Celui qui s'amoncellerait sur des zones externes et qui emploierait toutes ses énergies pour se configurer sur un corps formel avec une double polarité n'irait pas très loin en ce qui concerne la résonance sumérienne parce que sa corporéité le maintiendrait dans une signature artificielle à laquelle il serait lié par le fait qu'il ne pourrait pas encore traiter, puisqu'il y a un circuit d'énergie éternelle qui a été prévu pour ce type de figure, c'est sous ce type de dimension éternelle que ce système de figure androgyne formelle se maintient.»

Ce fameux Ioan commença donc à m'enseigner. Il allait ainsi me permettre de me connaître davantage, à l'intérieur de moi.

En me tendant la main du haut de l'échelle, lors de notre première rencontre, c'était moi-même qui pénétrais à l'intérieur de moi-même, et cela, je le compris quelques mois plus tard.

Tout d'abord, je n'étais pas du tout dans l'axe vertical, mais peu à peu, grâce à l'aide apportée par Ioan et à la formation reçue de Galacteus, je faisais à l'occasion quelques bons pas qui me rapprochaient de cet axe et me permettaient de commencer mon ascension vers la Dimension Supérieure.

Ioan m'en apprit énormément sur moi-même. Tout ce qu'il me disait et m'enseignait, je le mettais en pratique, bien que parfois, ce n'était pas du tout facile. En effet, au risque de me répéter, je dois avouer que toutes mes notions, toutes mes valeurs, toutes mes références et tous mes repères en tant que «médium» avaient été changés.

Par exemple, depuis juin 1991, je ne rêve plus. Cela peut vous sembler un détail de ne plus rêver, mais pour moi, rêver était important. Depuis que je suis toute petite, je me suis toujours couchée heureuse, car je rêvais chaque nuit et à mon réveil, je me souvenais de mes rêves, qui étaient presque toujours enchanteurs. En être privée subitement fut pour moi à la fois un genre de dépossession et de resserrement.

Lorsque je constatai que l'absence de rêves se prolongeait, j'en demandai la raison à Ioan. Mon Guide savait que rêver était important pour moi et que cela m'apportait énormément de réponses, mais Il me dit que le fait de ne plus rêver me forçait à entrer davantage à l'intérieur de moi. En m'extériorisant moins la nuit, cela me permettait de moins me disperser le jour. Il me fallait dorénavant aller plus loin à l'intérieur de moi, et ce quotidiennement, afin de trouver mes propres réponses et afin de m'habituer en même temps à mes nouvelles références médiumniques. Je fis quand même des songes à l'occasion. C'était beaucoup plus solennel qu'un rêve, et plus formateur aussi. Vous comprenez maintenant pourquoi bien des personnes préfèrent ne pas changer de niveau dans leur évolution spirituelle?

En juin 1991, je me trouvais à un niveau lumineux et médiumnique touchant à la clairvoyance, à la guérison, à la clairaudience, enfin à tout ce que l'on peut espérer dans la Lumière. Je dis cela avec humilité, car bien des personnes vivent la même chose sans problème. Cependant, je m'étirais à l'horizontale.

Je répétais sans cesse toutes les notions apprises depuis quelques années, mais en demeurant toujours au même niveau. On devient de plus en plus à l'aise et confiant lorsqu'on reste au même niveau, et cela est très bien. J'y étais heureuse et tout ce que je faisais, en guérison ou autre, était réussi magnifiquement.

Mais je voulais grandir... aller plus haut. Je demandai donc l'aide du Maitraya dont je vous ai parlé au début du présent ouvrage.

Mais accepter de changer, de grandir, car rien ne peut se faire sans qu'on y consente, ce n'est pas toujours facile. L'exemple qui me vient à l'esprit est celui d'une personne qui accède d'un poste de secrétaire à celui de directeur ou de directrice d'un service. Cela crée, au tout début du moins, des tensions avec le nouveau personnel, les nouvelles lois, le nouvel horaire de travail, etc. La période d'entraînement est souvent assez longue.

Eh bien! changer de niveau, c'est la même chose. Cela ne se fait pas en un mois... mais en plusieurs. Vous devez être prêt. «On» vous prépare... Vous vous servez de vos connaissances mais vos références sont complètement changées, elles sont nouvelles et elles vous sont inconnues.

Mes rencontres avec Ioan se poursuivirent et se déroulèrent de façon rigide. Il était naturellement un Maître dans son domaine et Il se trouvait être mon complément parfait en tant que yang, même s'il était androgyne.

Quelques mois plus tard, en octobre 1991, je me trouvais à nouveau chez Galacteus-France. J'intégrais Ioan de plus en plus et je me rendais compte qu'Il était une partie de ma Conscience Supérieure, de mon Entité, et que cette partie de moi-même était venue vers moi, car je l'avais voulu et désiré ainsi. Mon prénom se changea cosmiquement en celui de Yoann. Cela sou-

ligna le début plus formel de mon changement spirituel.

Le h de mon prénom ayant disparu, celui-ci se res-
serra davantage et, avec le temps, cela aurait le même
effet sur moi. Je commençais donc à me resserrer,
même formellement. Depuis ce temps, mon prénom se
prononce comme celui de Ioan.

De cette intégration de Ioan en moi, je ressortis plus
complète; je me sentais plus forte, plus lumineuse, et
cela me prépara, sans que j'en sois consciente, à la
sortie de mon tout premier livre, *Les Ailes de l'Amour*,
qui allait faire sensation au cours de l'automne 1991 au
Québec.

Je constate aujourd'hui que publier un tel livre sur
un tel sujet demande une préparation non seulement
psychologique mais également énergétique, et c'est en
cela que la venue de Ioan a été sensationnelle. Je remercie cette partie merveilleuse de moi de s'être réveillée au bon moment, mais il en est toujours ainsi
lorsqu'on fait confiance aux dimensions supérieures et
à ceux qui veillent sur nous.

C'était aussi la raison pour laquelle mon Guide
Ioan avait été aussi strict avec moi, car à partir de cet
instant, j'eus à vivre certains resserrements qui me
permirent de rentrer peu à peu à l'intérieur de moi, et
pas toujours facilement.

Il me fallait être beaucoup plus intériorisée afin de
ne pas être trop tirée vers l'extérieur à cause de la
parution de mon livre. Je n'avais pas vraiment conscience de cela, à l'époque. Je connaissais par contre une
partie de ce que j'avais à vivre, mais il me manquait
des données. L'expérience s'acquiert, comme on le dit

si bien, elle ne s'achète pas. Donc, j'eus à vivre plusieurs resserrements.

Mais vous devez sûrement vous poser la question: qu'est-ce qu'un resserrement ? Pour vous répondre, je vais vous donner un exemple. Vous êtes au volant de votre voiture et un enfant passe juste devant vous à bicyclette alors que vous ne l'aviez pas vu venir. Que faites-vous? Vous freinez brusquement. Que ressentez-vous sur le coup? C'est comme si vous rentriez subitement et rapidement à l'intérieur de vous. Naturellement, vous avez un pincement au cœur, vous comprenez?

Vous devenez par la suite très prudent au volant, vous diminuez votre vitesse et vous avez des yeux tout le tour de la tête. Vous êtes devenu plus conscient, en quelque sorte.

Un resserrement produit un peu le même effet. Un resserrement vous ramène à l'intérieur de vous et ce, très rapidement. Vous êtes obligé de vous arrêter et de réfléchir sur un ou sur certains points précis. Lorsqu'un Guide applique un resserrement, il se doit de le faire avec beaucoup d'amour et de maîtrise, mais aussi avec fermeté. Il lui faut savoir doser.

On ne fait pas un resserrement à une personne sans raison valable. Ce n'est pas un jeu. Les lois cosmiques existent, et les personnes qui ont l'autorité de poser de tels gestes sont sélectionnées et elles sont extrêmement conscientes de la loi du retour. Je répète que cela n'est pas un jeu.

On peut comparer l'action de faire un resserrement à celle de faire de la haute voltige: précision et exactitude sont de rigueur.

Vivre un resserrement permet d'acquérir une sagesse qui devient essentielle dans un cheminement spirituel, principalement lorsqu'on cherche à guider d'autres êtres.

Il m'est arrivé, au cours de mon entraînement à la voltige, tout comme lors de ma préparation pour des vols à bord d'un avion à réaction, de vivre des resserrements d'ordre psychologique. Mais là, je parle de resserrements aux niveaux psychique, mental et spirituel.

Il m'arrive encore de vivre certains resserrements à l'occasion. Lorsqu'on a la responsabilité d'enseigner à des êtres, on doit parfois leur faire vivre ce genre d'expérience, seulement si c'est nécessaire, bien entendu. Il faut donc l'avoir vécu pour pouvoir le communiquer et en parler. Au fil des mois qui s'écoulèrent, je continuai d'entrer lentement à l'intérieur de moi. Vous savez que le chemin devient plus étroit au fur et à mesure que vous avancez. Les portes, d'ailleurs, se font elles aussi plus petites, et pour les passer, il faut soi-même se faire de plus en plus petit. Il faut donc faire volontairement le balayage de ses problèmes, de son orgueil, de sa jalousie, de son envie. Il faut, consciemment, rapetisser peu à peu et prendre la maîtrise de sa vie afin de pouvoir, au fur et à mesure que le temps avance et qu'il nous le permet, passer les portes initiatiques.

On peut comparer cela à une montgolfière qui, pour monter de plus en plus haut, doit larguer ses sacs de sable.

La même chose se produit dans un cheminement spirituel. Il nous faut larguer l'accessoire qui nous entoure pour aller de plus en plus vers l'essentiel, c'est-à-dire vers l'intérieur de soi.

Ce que l'on est soi-même peut être conçu de trois façons: ce que nous pensons être, ce que les autres pensent que nous sommes et, le plus important, ce que nous sommes réellement, dans l'absolu.

L'essentiel est ce que nous sommes vraiment. Mais pour le trouver, il nous faut enlever de nombreuses couches de faussetés, de mensonges et d'illusions avant d'atteindre la vérité, la bonté et la beauté de notre intérieur.

N'oublions pas qu'il nous faut redevenir comme des petits enfants afin d'entrer au paradis... Il nous faut rapetisser, il nous faut apprendre à être humilité, amour et conscience.

Nous devons donc nous alléger pour être de moins en moins soumis à l'attraction de notre planète Terre et pour pouvoir arriver, consciemment, à nous dégager peu à peu du plan inférieur dans lequel nous vivons. Cependant, il nous faut aussi travailler sur le plan extérieur pour pouvoir entrer davantage à l'intérieur de nous, de façon à capter la Dimension Supérieure et à monter vers elle avec grâce et sérénité.

Et, comme le dit IJP. Appel-Guéry dans la méditation de subtilisation, «[...] vous devez déployer en vous des éléments qui vous font concevoir que effectivement l'existence dans un dimensionnel plus élevé ne peut être qu'empreinte d'une certaine perfection, d'une dimension de sainteté, de réussite intérieure et de totalité qui donne cet élan et cet émerveillement unitaire et primordial [...]»

Il y a toujours un travail sur soi à effectuer, et le secret en est la constance. À un certain moment se présentera le Maître, qui aura à vous transmettre un certain enseignement. Mais le Maître se présente seulement lorsque le disciple est prêt. Il n'est pas nécessaire que ce Maître soit formel. Naturellement, il est extraordinaire de pouvoir rencontrer un guide formel qui corresponde à ce que l'on est. Mais on peut facilement et magnifiquement apprendre d'un Guide du monde de l'Invisible. J'ai vécu cela pendant quatre années, et ce fut merveilleux. Quelle expérience inoubliable! Les preuves, je les ai eues à ma demande, et elles furent formidables.

Mais, ainsi qu'il est dit dans la préface du livre n° 1 de *Science Unitaire*, «Mais toutes ces preuves ne sont valables que pour ceux qui en ont encore besoin, comme des béquilles, pour avancer sur la voie qui mène du scepticisme à la croyance jusqu'à la certitude. Ceux qui ont franchi les épreuves par lesquelles se paie chaque preuve transportent en eux cette certitude et cette paix intérieure qui, à égale distance du doute et du fanatisme, sont les marques de la connaissance.»

Communiquer avec un Maître de l'Invisible est très formateur, car cela nous oblige à vraiment décoder nos propres messages, à être plus attentifs et à nous faire encore plus confiance qu'auparavant puisqu'il n'y a pas de confirmation formelle immédiate.

Travailler avec un Guide formel constitue une chance merveilleuse. Cet instructeur a le devoir, voire la mission, de veiller particulièrement à votre formation. Il doit, avec votre accord, appliquer ce qui doit l'être. Il vous faut avoir une grande confiance en cet instructeur qui vous est envoyé. Le hasard n'existant pas, la rencontre d'un tel instructeur ou guide formel est extraordinaire.

Là où ça devient compliqué, c'est lorsque, au cours de cette formation, notre orgueil se met de la partie. Lorsqu'une autre personne arrive à nous cerner sur ce point, on peut commencer à pénétrer dans cette dimension de soi-même qu'est l'orgueil pour aller graduellement et de plus en plus profondément à l'intérieur de soi afin de le déraciner dans sa plus grande partie. Naturellement, cela ne se fait pas sans coups au cœur. On est parfois gêné, humilié, car une fois dépisté, notre orgueil ne se laisse pas faire. Cet orgueil fait tout afin de se faufiler. Et un beau jour, il se fait cerner de façon spectaculaire et il est alors complètement coincé.

Je vous avoue attendre ce jour avec impatience. Je sais que ce ne sera pas vraiment amusant à vivre, car il va me falloir faire preuve d'abnégation, et cela n'est pas toujours évident, mais ça s'apprend. C'est pour cela qu'il nous faut faire confiance à ceux qui nous précèdent sur le chemin. Sinon, le travail ne peut se faire avec efficacité.

Certaines personnes, en lisant ces lignes, vont peut-être se mentir à elles-mêmes. Elles vont se faire croire que ces paroles sont pour les autres et non pour elles. Ne laissez pas votre orgueil vous jouer ce tour. Ne le laissez pas gagner. Allez plus loin, je sais que vous en êtes capables.

Vous êtes seul avec vous-même, donc, personne ne peut vous faire rougir. Vous n'avez pas à vous sentir humilié puisque, encore une fois, vous êtes seul.

Il n'y a aucune honte à avoir, sauf peut-être, pour certains, celle de se regarder tels qu'ils sont. Mais si vous vous aimez un peu, vous accepterez de vous regarder.

Si vous n'arrivez pas à sentir cet orgueil en vous, je suis certaine qu'il y a sûrement eu dernièrement dans votre vie un moment où quelqu'un vous a piqué au vif. Même si cela s'est fait involontairement, votre orgueil s'est mis en action à ce moment-là. Je suis certaine que vous pouvez trouver un exemple récent. Quand vous l'aurez trouvé, essayez de capter ce que vous avez ressenti au fond de vous: de la gêne, de la honte... l'impression que quelqu'un violait votre intimité. Ce que vous gardiez caché confortablement tout au fond de vous-même, l'image que vous ne vouliez pas montrer aux autres a été forcée de sortir. Qu'avez-vous ressenti? Qu'est-ce que ça vous a fait? Prenez le temps de revivre cet état... et vous en sortirez gagnant ou gagnante.

Voilà ce que je voulais vous dire... Vous comprenez maintenant?

***

Peu à peu, je reçus donc un enseignement qui me permit de prendre conscience d'une partie de ma propre présence au-dessous de moi-même, ce dont je n'avais aucune idée. Je vous explique: trop souvent, les gens pensent qu'il y a notre corps physique, puis les corps subtils au-dessus de nous. C'est vrai, mais il y a aussi un véhicule inférieur qui nous sous-tend. Ce véhicule fait partie de notre système inférieur, là où résident la puissance et la force, qui sont liées à notre état d'être incarné sur cette planète. Dans le cadre d'une démarche de conquête de sa totalité, on ne peut ignorer les énergies dites «inférieures».

«Vivre sa totalité, selon ce qui en est dit dans le livre n° 1 de *Science Unitaire*, de IJP. Appel-Guéry, ce n'est pas seulement suivre une démarche spiritualisante qui vise à élever la partie supérieure de l'être humain, c'est-à-dire l'esprit, le mental et l'âme spirituelle. C'est aussi, et c'est le plus dur, transformer le psychisme, la vitalité avec ses pulsions instinctives, le corps physique avec son poids gravitationnel, l'environnement matériel comme base de stabilisation.»

J'ignorais cette réalité jusqu'à l'an dernier. Je vivais plongée jusqu'à la taille dans la Lumière. Je vivais à l'horizontale, croyant m'élever vers la Dimension Supérieure. Mais je ne pouvais m'élever plus haut vers le Père, car j'ignorais tout de l'existence de cette partie de moi-même qui se trouvait sous mes pieds. Je n'avais jamais travaillé sur ce véhicule inférieur qui me sert de complémentarité.

Pour pouvoir se réaliser complètement, il nous faut travailler à dégager cette partie de nous-mêmes qui réside sous nos pieds, à l'ombre, loin du soleil, là où sont logés chagrins, peines, traumatismes, viols, agressions de toutes sortes, peurs, maladies, etc.

Peu à peu, avec beaucoup d'amour et de respect, et avec de plus en plus de conscience, il nous faut libérer cette partie inférieure en faisant face à nos problèmes: cessez de croire que le problème avec votre père, votre mère ou votre ami est réglé. C'est cela, entre autres, devenir un adulte en énergie, devenir un être plus conscient. Il ne faut pas oublier non plus d'affronter son orgueil, sa jalousie, son envie... Il faut apprendre à devenir son propre thérapeute.

Nous sommes humains, on ne peut se le cacher, mais pour devenir «divin», ce pourquoi nous sommes de retour dans cette vie, il nous faut au départ nous accepter tels que nous sommes, il nous faut nous regarder avec nos défauts tout comme avec nos qualités. Il nous faut voir à régler ces problèmes qui ne font que nous alourdir, nous maintenir au sol.

En travaillant de la sorte sur soi-même, on prendra conscience peu à peu que l'on se dégage, que même notre apparence extérieure change pour le mieux.

Réfléchissez bien à ceci: que vous fassiez ou non ce travail, le temps passe et s'écoule. Pourquoi ne pas en profiter? C'est le plus beau voyage que j'aie jamais entrepris, le voyage de ma propre vie. Quelle merveille!

Il est certain que par moments, ce n'est ni facile ni agréable. Mais, même sans cheminement spirituel, la vie n'est pas toujours drôle ni facile.

Je crois vraiment que le temps est venu d'arrêter de «faire semblant». À l'heure actuelle, il y a une force d'accélération phénoménale qui est donnée à tout être désireux d'avancer. Pourquoi n'en profiteriez-vous pas?

Dans le livre n° 1 de *Science Unitaire*, on lit: «Parce que le rythme de la transformation planétaire s'accélère et que cette accélération pourrait s'avérer dangereuse pour des esprits non préparés, partout sur la planète, des êtres humains sont sensibilisés par de nombreuses expériences à ces contacts avec d'autres dimensions, et ce, sous les formes les plus diverses:

Near Death Experience, channeling, dédoublement astral, perceptions extra-sensorielles, télépathie, etc. C'est dans cette perspective d'éveil de conscience plus universelle qu'il faut appréhender les différents contacts avec les dimensions extra-terrestres et supra-terrestres.»

N'aimeriez-vous pas maîtriser un jour la totalité de votre être? Si oui, c'est le temps plus que jamais de vous mettre au boulot.

Nous sommes tous des Maîtres en devenir, mais avant de l'être vraiment, nous avons besoin de grandir consciemment, et c'est la raison pour laquelle un instructeur, un Guide, un Maître devient très précieux.

Malheureusement, combien de gens abandonnent après un certain temps une exploration un peu plus approfondie? Pourtant, à les entendre parler quelques mois plus tôt, c'était leur désir le plus cher... Mais l'orgueil est très fort, et il l'emporte souvent. Les gens partent, prétextant toutes sortes de raisons, sauf la vraie: celle d'être dérangé par ce qu'ils découvrent d'eux-mêmes, là, en dessous. Cela demande du courage. Alors, il faut s'accrocher, ne pas lâcher... Notre ennemi numéro un n'est nul autre que la partie de nous-mêmes qui ne veut pas bouger.

Personne ne peut vous empêcher de continuer et d'avancer si vous le voulez **vraiment**.

Mais le voulez-vous vraiment? À vous de répondre...

***

Vous savez que le rêve de bien des êtres sur cette planète, leur but précis, c'est le Grand Retour, la Résurrection, cette possibilité de quitter la Terre avec son corps physique, tel que l'a fait Jésus, ce Maître d'Amour. Mais pour pouvoir quitter la planète, il faut non seulement gérer et nettoyer ses parties extérieure et intérieure, mais aussi cette partie de soi-même, cette pointe de son propre cristal, qui est logée en dessous de soi, afin de réussir un décollage dans son propre corps formel et substantiel.

Mais avant d'aller plus loin, je me permets de vous citer mot à mot le message reçu par Io sur la «transsubstantiation». (*Préscience*, de I.J.P. Appel-Guéry, brochure n° 18): «En vérité, les mots qui sont employés par les plans supérieurs concernant la transsubstantiation sont un peu différents. Le mot qui désigne cette situation est appelé «substilisation» par un plan supérieur, c'est-à-dire subtilisation du circuit substantiel.

»"Subtilisation" veut dire approche de plus en plus accordée et de plus en plus imprégnée par le monde subtil. Celui-ci est un monde d'énergie à l'intérieur duquel la conscience peut exister en permanence d'une manière continue et en continuité avec tous les éléments de l'énergie, c'est-à-dire un champ, un continuum dans lequel la conscience et l'énergie n'ont pas de séparativité comme il en existe dans les mondes des formes, où, à certains endroits, l'énergie se trouve condensée au point qu'il y ait séparation entre les formes. Dans le monde de l'énergie subtile, il y a continuité entre tous les systèmes d'énergie.

»Le circuit de numération interne est donc en mesure à tout moment, sur toutes les parties de l'univers, d'avoir immédiatement et instantanément toute information qu'il peut être nécessaire d'avoir, parce que tout est continu. Cela n'a rien à voir avec le monde dans lequel nous nous trouvons où, en apparence, tout est discontinu. Donc, la substilisation, c'est quelque chose qui permet à un système existant dans un milieu condensé et séparé d'accéder progressivement à une perception consciente de ce qui se passe dans le continuum de conscience-énergie.

»Si un être formel réussit à augmenter son accord avec le continuum suivant du monde de la conscience-énergie, alors, dans la balance conscience-énergie-forme, à un certain moment, le système formel peut être restructuré et transféré dans une nouvelle situation de figure. Le système formel lui-même se transforme alors au point de disparaître en tant que système atomico-moléculaire, parce que son circuit de matrice-énergie s'est changé de niveau.

»Donc la transsubstantiation, ou substilisation, est un processus qui va tellement augmenter, d'une part, le rapport de la conscience personnalisée mentale mortelle – celle de la fonction du réel de la personnalité transitionnelle – et, d'autre part, le rapport entre la conscience personnelle et la conscience immanente rattachée à l'ensemble de l'univers, qu'il peut se produire un accroissement du rapport de la conscience personnelle avec la conscience immanente provoquant, à l'intérieur du corps, la mise en place d'une énergie subtile qui va non seulement modifier le milieu intérieur, mais aussi le système aurique et l'environnement énergétique de l'individu. Le corps substantiel, système atomico-moléculaire qui est une cristallisation si on le compare aux autres véhicules subtils, est un cristal, en quelque sorte, un minéral par rapport aux autres véhicules qui a retiré sa force de cristallisation de la terre, du système tellurique. Dans la mesure où une personne parvient à réaliser cette adéquation de sa conscience personnelle avec la conscience interne de l'univers, et à augmenter l'énergie qui existe dans son corps substantiel au point que son environnement aurique devient également accordé à l'énergie interne de l'univers, alors son système de conscience-énergie est suffisamment important pour arriver à régir son rapport avec la force de cristallisation de la Terre-Mère dont il est issu. Il devient capable d'extraire son maître, la matrice spéciale de son corps substantiel atomico-moléculaire, et de retranscrire cette matrice dans le continuum-énergie de la Permanence. S'il a complètement débarrassé son corps substantiel mortel de toutes les hétérogénéités impures qui le marient à l'environnement karmique et le tiennent dans un niveau gravitationnel accordé à une planète particulière, alors cet être peut extraire sa signature-conscience, sa signature-énergie et sa matrice structurale du monde dont il est issu.

»À ce moment-là se produit une sorte d'envol, résumé dans de nombreuses légendes, tel l'envol d'Horus qui sort d'une situation de cristallisation prisonnière de la gravitation. Seulement ceci est conditionné, d'abord par un contact réel, codé, numéroté, chiffré avec les dimensions supérieures, par une maîtrise de l'énergie extraordinaire, et par la mise en place autour du corps physique de conditions de transsubstantiation. Ceci réclame évidemment à ceux qui poursuivent de telles opérations de partir quelquefois en haut des montagnes, dans un isolement total ou d'avoir une maîtrise des champs d'énergie qui soit extrêmement grande. Mais en raison des conditions de déconnexion et de gravitation de cette planète, il ne faut pas rêver, et s'il n'y a pas une aide très conséquente venant d'autres dimensions, il est extrêmement difficile d'y arriver.

»Si, par les schèmes énergétiques que nous transportons, nous sommes en mesure de concevoir cette transsubstantiation, qui est simplement la mise en place d'une continuité conscience-énergie-matrice, conscience-énergie-structure, souvent nous n'avons pas suffisamment la liaison de conscience supérieure et la maîtrise de l'énergie qui conviennent, ni, évidemment, l'aide transcendante qui va déterminer un changement de notre situation gravitationnelle. C'est pourquoi il ne faut pas attendre la résurrection du corps de chair dans la même condition que celle où il est déjà. Il faut poursuivre une véritable résurrection, qui sera le résultat de l'accès de la conscience mortelle personnelle à une conscience immanente. En anglais, le mot "redemption" signifie "règlement". En effet, il n'y a pas de rédemption ou de résurrection sans le règlement de nos accrochages karmiques divers; ce qui veut dire que nous sommes obligés de négocier avec l'environnement.

Il faut aussi poursuivre l'accès de notre système d'énergie environnante à une énergie contrôlée par notre système de conscience. L'accès de notre structure matricielle issue de la terre à un niveau énergétique de contrôle tel que le système atomico-moléculaire dont nous serons constitués par la suite ne sera pas le résultat d'une structure automatique venant des forces gravitationnelles de la planète, mais d'une maîtrise que notre système de conscience-énergie aura réussi à faire sur l'organisation des trames structurant notre corps physique.

»Lorsqu'on poursuit un processus de substilisation, on ne peut pas oublier l'environnement, parce que celui-ci tend à chaque instant à rematérialiser les forces de substilisation. Donc, une personne qui vise ce but poursuit évidemment une maîtrise toujours plus grande des mondes d'énergies. Il faut que la conscience s'habitue à gérer des énergies subtiles, mais aussi celles très proches du plan formel. Car, en vérité, notre identité interne devrait être en mesure de provoquer des circuits de dématérialisation de la substance et de matérialisation-dématérialisation de la matière. Mais bien souvent, les êtres qui sont le siège de cette faculté de dématérialisation-matérialisation de la matière ont été touchés par un rayon particulier, d'où l'intervention de dimensions supérieures dans ce type d'opérations.

»En ce qui concerne le rapport de l'environnement, il est bien certain que l'exercice qu'il faut absolument réussir, c'est celui de la maîtrise des forces du milieu qui nous empêchent de réaliser notre figure de numération, celle qui sera susceptible de nous permettre de dépasser notre corps physique en ayant constitué un corps glorieux cohérent et bien maîtrisé. D'une certaine manière, il faut réussir à se faire remplacer dans une zone de contact direct avec la matière et les forces de condensation si l'on veut maîtriser ces forces. Il faut progressivement réussir à maîtriser de mieux en mieux les éléments qui sont de plus en plus proches de la terre et qui risquent de nous éloigner d'un continuum de conscience-énergie si nous ne sommes pas en mesure de réaliser tous les intermédiaires nécessaires qui nous permettront à la fois de vivre sur ce plan en corps physique et de vivre en contact avec une énergie subtile par le moyen de tous nos véhicules subtils parfaitement organisés jusqu'aux dimensions de conscience les plus élevées.»

Il faut donc se mettre à l'œuvre immédiatement, sans plus attendre, car comme le disait Socrate, «la vie belle et utile est celle où l'action et la pensée se soutiennent l'une par l'autre».

Cependant, il ne faut pas oublier qu'il y a la société autour de nous, qui est notre propre création et qui nous complique drôlement la vie.

Mais pour retrouver la Dimension Supérieure de soi-même, il faut accepter de s'arrêter, de se regarder pour se voir tel qu'on est, et aussi accepter, si tel est notre désir, l'aide de quelqu'un qui est plus avancé que nous et qui nous permettra de faire des prises de conscience plus rapides et plus heureuses. Ce qui nous évitera de perdre un temps infini sur des détails pénibles tout en nous motivant du même coup.

Avec une dimension intérieure qui se dessine de plus en plus, nous nous redressons verticalement, jour après jour; nous délaissons doucement le plan horizontal afin de monter plus haut. Et un jour, nous rencontrons notre Être Cosmique, l'Être Intérieur que nous sommes vraiment.

Vous voyez maintenant pourquoi j'ai compris, après le passage du Bienheureux Maitraya dans ma vie, que je devais profiter du programme de jonction cosmique de Galacteus? C'est ainsi que je commençai un cheminement plus serré. Cet «écho» qui s'était déclenché en moi lorsque le Rigden-jyepo était venu me voir en juin 1990 est de la même énergie que celle de Galacteus.

MÉDITATION

Retrouvez le calme intérieur, la présence lumineuse du chakra du cœur, la respiration consciente, l'axe bleuté qui s'élève jusqu'au sommet de votre tête.

Respirez doucement et commencez à prolonger cet axe bleuté vers le bas, à partir du cœur, jusqu'à la plante de vos pieds, et ce, toujours à l'intérieur de votre corps subtil.

Essayez maintenant de percevoir la totalité de ce que vous êtes à partir de votre corps subtil, c'est-à-dire à partir d'un niveau plus élevé que celui du plan d'incarnation où se déroule votre existence...

Puis reprenez votre lecture.

***

Gardons la Confiance en l'Esprit qui veille
Si le ciel se couvre et que le vent tourne,
Car en un instant, oui tout se retourne,
Si l'Esprit divin veut cette merveille.

Nous sommes sur ce plan un des lieux d'échange
Entre le Cosmique et le Tellurique,
En homme visible ou invisible Ange
Chaque créature suit le Verbe Unique.

Si à chaque instant, nous cherchons le Vrai,
Le Bon et le Beau, alors vient vibrer,
Par un beau matin, la parole cachée
Donnant Vérité et Sérénité.

Soyons Communion et Vibration Pure,
Pour que l'Esprit Saint puisse agir en nous.

Suivons le chemin et d'un pas très sûr,
Allons au Royaume des Conscients et Dieux.

Idylle Spirituelle
I.J.P. Appel-Guéry

Chapitre 3

J'aimerais maintenant partager avec vous quelques expériences vécues avec des animaux et avec leurs dévas. Il y a toujours des personnes qui me demandent de leur raconter certaines de ces rencontres que je considère extraordinaires.

Pour commencer, je vous parlerai de ce pigeon trouvé à Montréal il y a trois ans. Je revenais alors d'une séance de photographie – l'une de ces photos a d'ailleurs été utilisée pour la couverture de mon premier livre, *Les Ailes de l'Amour*. C'était un jeudi midi, un moment où la circulation est très dense à Montréal, et je me trouvais au coin des rues Mont-Royal et Saint-Dominique.

Soudain, un pigeon gris et blanc attira mon attention, car il ne réagissait pas du tout aux voitures qui passaient à ses côtés. Je compris que si cela continuait, il ne resterait plus grand-chose de ce pigeon dans les minutes qui suivraient.

Mais plus j'observais cet oiseau, plus je constatais que quelque chose n'allait pas chez lui. M'étant arrêtée au feu rouge, je descendis de voiture, toute bien vêtue à cause de la séance de photos, je fis stopper les voitures qui venaient en sens inverse et j'allai chercher ce pigeon. Une équipe d'hommes de la société *Hydro-Québec* m'observait et m'encourageait.

Je pris dans mes mains cet oiseau infesté de microbes et de parasites mais, en faisant cet acte avec amour et conscience, je me sentais protégée. En effet, chaque fois que je soigne un animal blessé, quel qu'il soit, je change de plan vibratoire. Cela se fait automatiquement, car toute mon attention se porte sur cet animal et sur la possibilité de le guérir; c'est comme si j'entrais dans un espace-temps tout à fait différent, au-delà de celui dans lequel je vis. Je sais que je n'attraperai jamais de maladies de ces animaux que je traite et soigne. Cette dimension cosmique concernant mes frères et sœurs de la race animale m'a été donnée lors de ma «Connexion Terre-Ciel».

Ce pigeon était sérieusement malade. Tout son corps tremblait et il n'arrivait plus à maîtriser ses mouvements désordonnés. Je l'ai donc enveloppé dans un linge propre que j'avais dans ma voiture, car lors de mes déplacements, j'apporte toujours avec moi une petite trousse pour venir en aide aux animaux agonisant sur les routes.

Curieusement, bien des gens me regardaient faire et plusieurs parmi eux sont même venus vers moi, sympathisant avec cet oiseau qui souffrait terriblement.

J'ai ensuite emmené l'oiseau blessé au local de la société canadienne protectrice des animaux, sur la rue

Jean-Talon à Montréal. L'homme qui m'a reçue et que je connaissais assez bien me dit qu'il n'y avait plus grand-chose à faire pour l'oiseau, qu'il avait été empoisonné au vitriol... et que, malheureusement, bien des personnes pensent pouvoir résoudre de cette façon le problème des pigeons à Montréal.

Je profite de l'occasion pour signaler que ce poison est très cruel, car il atteint le système nerveux. Les autorités qui en ont permis l'usage croyaient que les pigeons seraient affolés en voyant la mort atroce d'un des leurs et qu'ils iraient s'établir ailleurs. Mais ce n'est pas ce qui s'est produit, et ces pauvres créatures sont de plus en plus vouées à une mort lente et horrible. Selon les experts, l'empoisonnement au vitriol ne donne pas du tout les effets escomptés. Je tiens donc à le souligner: cette souffrance est complètement inutile.

Cet oiseau si doux allait mourir dans les prochaines heures ou les prochains jours, car, d'après l'expert qui l'avait examiné, la quantité de poison absorbée devait être importante pour que le pigeon ait de telles crises qui ressemblaient à des crises d'épilepsie. Ces spasmes musculaires vraiment importants le faisaient souffrir incroyablement.

J'emmenai donc le pigeon chez moi, ne voulant pas le laisser là, car on l'aurait rapidement euthanasié. Je voulais lui permettre de vivre en paix les dernières heures de sa vie.

Arrivée à la maison, je me demandai si j'avais le droit de prolonger ainsi les souffrances du pauvre animal. Je le plaçai dans une boîte propre, je lui donnai de l'eau et je le laissai seul un moment. Un peu plus tard, quand je suis retournée le voir, j'ai constaté qu'il était en crise constante.

Ce qui me donna le coup final, ce fut de le voir complètement appuyé sur son cou, se balançant par en avant, les ailes ouvertes et tremblantes, et sa tête ne cessant de tourner de droite à gauche.

J'en appelai donc au déva des pigeons ainsi qu'à l'entité de ce pigeon. Je fis les présentations d'usage et je demandai à l'entité de ce pigeon si elle acceptait que je le délivre de sa souffrance en le chloroformant.

Elle me répondit rapidement oui, car elle le souhaitait de toutes ses forces. J'en parlai avec le déva présent, qui était d'accord, lui aussi. Il me dit même qu'il aiderait ce pigeon à quitter son corps physique. Mes Guides étaient aussi d'accord.

N'aimant pas du tout faire ce genre de choses, j'avais le cœur lourd. Je commençai mon travail en parlant très doucement au pigeon. Je lui dis à peu près ceci: «Tu sais que mon nom est Yoann et que je suis ta sœur cosmique. Même si tu acceptes que je te délivre de ta souffrance, ce n'est pas pour autant facile pour moi de le faire. Je le fais car tu es d'accord, et sache que je t'aime. Dans quelques minutes, lorsque tu seras prêt, je vais appliquer sur ton bec un coton de chloroforme. Naturellement, ce n'est pas agréable à respirer, mais ne sois pas inquiet, je n'appliquerai pas ce tampon directement sur tes orifices respiratoires, non, ne sois pas inquiet. Je l'appliquerai juste un peu plus bas afin que tu puisses respirer de l'oxygène en même temps. Tu sentiras ton corps s'endormir doucement, exactement comme lorsque tu t'endormais la nuit, tu vois ce que je veux dire?» Je lui parlai aussi du déva présent et j'étais heureuse de me rendre compte que le pigeon voyait également le déva. Cela allait l'aider à trépasser calmement.

Tout au long de cet échange, je tenais le pigeon dans mes mains et je le caressais doucement. Je lui parlais tout bas et le préparais à faire face à son grand départ. Je l'enveloppai d'une énergie calmante pour amorcer le dégagement de son entité. Le déva principal était assisté de trois autres dévas qui étaient venus spécialement à sa demande, pour aider ce frère, ce pigeon. Tout se déroulait dans la conformité de la loi cosmique.

J'appliquai doucement le tampon de chloroforme afin de ne pas brûler ses yeux et peu à peu, il s'endormit. Les dévas travaillaient à dégager l'entité de ce pigeon au fur et à mesure qu'il s'endormait.

Lorsqu'il fut endormi profondément, il se tourna de lui-même sur le dos et je vis son entité se dégager peu à peu de son corps. Cela commença par ses pattes, qui se raidirent dès que l'entité eut quitté cette partie de son corps... Par la suite, ce fut son abdomen, son cou, et finalement sa tête. Et je vis l'entité complète de ce pigeon sortir de son corps physique par l'ouverture qui se trouve au sommet de la tête et qu'on appelle le chakra coronal.

L'entité était maintenant au bout de son corps et elle flottait. Je lui parlai et la laissai avec les dévas qui n'avaient point terminé leur travail.

Je retournai à la cuisine avec, en moi, une grande peine. Trente minutes plus tard, je me mis à laver quelques chaudrons, n'ayant en tête que ce pigeon sur lequel mon cœur pleurait. Soudain, je vis arriver à mes côtés l'entité de ce pigeon: une entité complètement blanche, comme une colombe. Elle arriva par ma droite, avec un angle de quarante-cinq degrés à peu près. Elle flottait dans l'air et battait des ailes avec tant de douceur et de paix. Cette entité ne souffrait plus et cela me combla de joie. Avec des yeux remplis de reconnaissance, l'entité me remercia de l'avoir délivrée de sa souffrance et me fit une caresse du bout de son aile gauche. Son regard en disait long sur son bonheur.

Puis elle s'envola vers son monde, avec d'autres entités de pigeons qui l'attendaient un peu plus loin. Elle se retourna, posa sur moi un dernier regard et suivit les dévas qui l'avaient aidée à se libérer. Elle était maintenant entièrement libre et ne souffrait plus. Je la vis partir en passant par la vitre de la porte coulissante de la salle familiale.

Ma tristesse s'envola avec le départ de l'entité de ce pigeon vers son monde invisible. De le voir si heureux me comblait de bonheur. J'ai apprécié sa visite avant son départ définitif, et ses remerciements m'ont fait vibrer de joie.

Je sais que cette histoire peut vous paraître bizarre mais je sais aussi que beaucoup d'entre vous, après avoir lu mon premier livre, peuvent reconnaître et comprendre le travail que je fais avec les animaux et les dévas.

D'ailleurs, au printemps 1993, je serai en mesure de donner un cours sur le contact avec les dévas, car trop de gens m'ont écrit au sujet de l'aide à apporter à leurs animaux. Ce cours permettra aux participants d'élever leur niveau vibratoire et d'affiner leurs perceptions et leur Conscience.

***

J'ai vécu une autre aventure semblable avec deux petits poissons rouges, Flic et Flac, qui appartenaient à ma nièce Sarah, âgée de huit ans.

Un jour où j'avais pris congé, je reçus un appel. C'était ma belle-sœur Monique, la mère de Sarah, qui me demandait si je pouvais aller «voir» ses poissons, car Flic ne semblait pas bien.

Je lui dis que cela me ferait plaisir et, après avoir raccroché, je me dédoublai et partis en direction de la maison de Monique, qui était située à quinze minutes de chez moi. J'arrivai chez Sarah et me plaçai face à l'aquarium afin de mieux observer Flic. Je constatai qu'effectivement, Flic roulait doucement sur le dos tandis que Flac semblait bien se porter.

Flic était souffrant, je pouvais le sentir. J'entrai donc en contact avec son entité après m'être présentée à elle. Et je vis alors que chacun de ses cils ainsi que sa colonne vertébrale étaient envahis par la rouille.

Je ne comprenais pas ce qui se passait et je demandai à Flic ce qu'il avait. Il me dit: «Yoann, il y a de la rouille dans cette eau.» J'avais beau regarder l'eau, je ne voyais pas la rouille, sauf celle qu'il y avait sur les cils et sur la colonne de Flic. Il poursuivit en me disant qu'il avait besoin de verdure et qu'il fallait changer l'eau de cet aquarium le plus rapidement possible, car il souffrait beaucoup.

J'en profitai pour examiner Flac. Ce dernier semblait en meilleure forme que Flic. Un peu de rouille aussi sur ses cils, mais en moindre quantité que chez Flic. Je rappelai donc ma belle-sœur Monique et lui rapportai ce que Flic venait de me communiquer. Elle me dit qu'elle ne voyait pas ce que cela pouvait être, mais comme elle m'avait toujours fait confiance, et particulièrement dans ce domaine – je profite de l'occasion pour l'en remercier sincèrement –, elle changea l'eau de l'aquarium et acheta de la verdure pour Flic qui en mangea. Elle fit faire en même temps une analyse de l'eau. Les rapports, livrés quelques heures plus tard, confirmaient l'existence de rouille dans l'eau, mais ma belle-sœur ne comprenait toujours pas comment cela avait pu arriver.

Elle me téléphona à nouveau pour me dire que Flic n'allait pas mieux. Je me dédoublai à nouveau et retournai auprès de Flic que j'entourai d'une énergie dorée. Il souffrait encore plus que pendant les heures précédentes. Je rappelai Monique et lui dis que Flic allait sûrement mourir. Je lui confiai que Flic m'avait lui-même demandé de le libérer. Je lui suggérai d'en parler à Sarah afin de savoir si elle était d'accord avec cette décision.

Pendant ce temps, je fis venir le déva des poissons rouges et je le présentai à Flic et à Flac, celui-ci désirant assister consciemment au départ de son ami Flic. J'en profitai pour préparer Flac au départ de son copain Flic. Quelques minutes plus tard, Sarah me donnait son consentement.

Monique et Sarah s'assirent alors face à l'aquarium pour assister au départ de Flic. Inutile de vous dire que Sarah pleurait. Et soudain, pendant que je travaillais chez moi à libérer Flic de son corps physique, celui-ci réussit à se retourner sur le ventre et il se dirigea vers ses deux amies qui pleuraient déjà son départ.

Monique me précisa plus tard qu'elle était prête à parier que Flic savait qu'elle et Sarah assistaient à son départ, et elle en conclut que Flic voulait les remercier en faisant cet effort ultime.

Je suivis alors exactement ce que mon Guide de l'époque me disait et je libérai Flic qui roula de nouveau sur le dos, pour la toute dernière fois.

Sarah, Monique, Flac et moi avons vu Flic quitter son corps physique. J'avais demandé à ma belle-sœur, témoin oculaire qui faisait face à l'aquarium, de prendre note, à la minute près, de l'heure à laquelle Flic lui semblerait mort physiquement. Au moment où je coupai le cordon qui retenait l'entité de Flic à son corps physique, Flic cessa de respirer physiquement, selon ce que Monique m'a dit.

Une fois libéré de sa douleur physique, Flic était tellement heureux que je le vis flotter au-dessus de son corps physique. Il s'approcha de moi et, à l'aide de ses deux petites nageoires, il me prit par le cou et me fit un immense bisou sur le bout du nez. Ce geste de sa part me fit éclater en sanglots, car je ne m'attendais pas du tout à cet acte de reconnaissance.

J'étais alors encore plus heureuse de l'avoir libéré, même si cela avait été pénible, malgré son consentement et celui des dévas.

Flic regarda Flac, il lui dit au revoir et partit avec les dévas. Flac était bien triste, je pouvais le sentir, quoique je pouvais percevoir à quel point il était heureux de savoir Flic totalement coupé de sa douleur physique.

Dès le lendemain, Monique trouva auprès de son mari l'explication qu'elle cherchait. Celui-ci lui confirma avoir trouvé un clou rouillé dans l'aquarium lorsqu'il avait effectué le changement d'eau, quelques jours avant la mort de Flic.

Trois jours plus tard, ce fut le tour de Flac. Lorsque je me rendis sur les lieux, toujours en dédoublement, Flac était tout rouillé, exactement comme Flic l'était quelques jours plus tôt.

Je procédai exactement de la même façon que je l'avais fait pour Flic, avec l'accord de Flac, de Sarah et des dévas. Mais cette fois, Flic était là, dans l'invisible, pour venir accueillir son ami Flac. C'était tellement beau de les voir à nouveau ensemble!

Lorsque Flac fut libre à son tour, les deux poissons me firent de gros bisous et me remercièrent, puisqu'ils partirent ensemble avec les dévas. J'en pleurai à nouveau de joie.

Ces deux expériences furent pour moi parmi les plus belles.

***

Toutes les expériences que j'ai vécues avec les animaux m'ont permis de prendre conscience qu'il est important de les prévenir avant un événement particulier et de les y préparer. Par exemple, si vous faites garder votre chien pendant vos vacances, allez le voir plusieurs jours avant son départ pour le chenil ou pour un autre endroit et parlez-lui doucement de ce qui l'attend au cours des prochains jours... Dites-lui qu'il n'a pas à avoir peur... que vous ne l'abandonnez pas mais que vous prenez des vacances et que vous reviendrez le chercher sous peu.

Répétez-lui cela plusieurs fois avant son départ et soyez certain que votre animal «saura» à l'intérieur de lui que vous reviendrez le chercher, que vous ne l'abandonnez pas.

Il en est de même pour les plantes. Avant un long départ, préparez-les à la solitude, à la présence de la voisine qui viendra les arroser durant votre absence. Dites-leur que vous les aimez. Cela les aidera et vous aidera également à devenir davantage Amour et Conscience.

***

Quand je me promène en voiture sur les routes, j'ai toujours avec moi une trousse contenant une bouteille de chloroforme, des gants, des feuilles de papier et des bouts de tissu, au cas où je rencontrerais certains de mes frères animaux agonisant seuls, en proie à la souffrance.

Vous savez, au printemps, à la période des amours, bien des petites bêtes sauvages traversent les routes et se font happer par les automobiles. Je me souviens d'une fois, en particulier, où ce fut malgré tout très drôle. Je vous raconte.

Je rentrais chez moi et je roulais sur l'autoroute 40, en direction de Vaudreuil. Je vis alors un raton laveur écrasé. D'après mes observations, il avait été frappé plusieurs heures auparavant et il était bel et bien mort, il n'y avait aucun doute là-dessus.

Selon mon habitude, en voyant cet animal mort, je me suis mise à chercher son entité. Normalement, l'entité n'est jamais très loin du corps physique. Trop souvent, comme c'est le cas chez les êtres humains, l'entité ne se rend pas compte que le corps physique ne vit plus, qu'il est mort. Parfois, l'entité attend des jours à côté de son corps physique, afin de pouvoir continuer à traverser une autoroute ou un autre endroit du genre. Ce qui donne lieu à des situations vraiment cocasses.

Mon rôle consiste alors à retrouver l'entité afin de lui expliquer que son corps physique ne peut plus lui servir, qu'elle est enfin libre, que le cordon qui la reliait au corps physique est rompu. Je leur ai presque toujours montré la corde d'argent qui me relie à mon corps physique. Si vous pouviez voir leur réaction à cet instant... C'est amusant, croyez-moi.

Toujours est-il que, ce jour-là, j'avais, comme à l'habitude, appelé le déva des ratons laveurs mais je n'arrivais toujours pas à trouver l'entité de celui qui était mort et qui gisait maintenant à quelques mètres derrière moi, car je n'avais pas arrêté la voiture.

À un moment donné, j'eus l'idée de lever la tête et je vis alors l'entité du raton assise en haut d'un immense réverbère. L'entité s'était tout simplement réfugiée à cet endroit par peur des voitures qui continuaient à passer sur son corps physique qui se trouvait encore sur la route. Il avait tellement peur qu'il tremblait. Si vous aviez pu voir sa réaction, l'expression de ses yeux lorsqu'il constata que je le voyais. Je me présentai. Il dit me connaître et je l'invitai doucement à descendre, en lui expliquant qu'il n'y avait aucun danger, que j'étais là pour l'aider. Je n'oubliai pas d'ajouter que je l'aimais.

Il me fit confiance et descendit maladroitement du poteau. Lorsqu'il arriva au sol et qu'il fut près de moi, il me sauta au cou. Cela me fit tellement plaisir et cela me surprit beaucoup, mais quelle belle surprise! Je l'ai serré très fort tout contre moi et je lui expliquai ce qui s'était passé, en ajoutant qu'il n'avait plus besoin de son corps physique. Je lui présentai le déva venu spécialement pour l'accueillir dans le monde de la Lumière. Il était très heureux de comprendre tout cela.

Il partit avec le déva et il se retourna pour me faire un signe de la main. Il était si heureux et enfin, il riait.

Il s'agit tout simplement de rassurer les bêtes en leur expliquant ce qui s'est produit. Leur peur passée, il y a place pour une prise de conscience.

Il en est de même pour les êtres humains, qui ne savent pas comment se passent les choses de l'autre côté, ce qui est toujours inquiétant quand on sait que la mort se prépare. Je vous en parle au prochain chapitre.

L'expérience a été formidable pour le raton et pour moi. Si vous saviez à quel point cela peut apporter du bonheur! Et en même temps, vous servez la cause.

C'est tout simple, mais il s'agit de le faire avec énormément d'amour. Essayez... montez par votre axe dans votre véhicule supérieur, qui est placé juste au-dessus de votre tête, et déjà vous pouvez en appeler au déva. Au début, commencez avec les dévas des fleurs des champs, des arbres. Promenez-vous dans les bois et appelez les dévas des oiseaux, des écureuils; sentez leur présence, là, tout au fond de vous. Pas besoin de voir ou d'entendre de façon plus éthérique pour capter leur présence. Absolument pas. Il s'agit d'y mettre du cœur et de l'amour. Si vous lisez ce livre, ce n'est pas par hasard, c'est que vous y croyez au moins un peu, et vous ne perdez rien à essayer. Au contraire, vous avez tout à gagner. Cela ne prend que quelques minutes.

Plus tard, quand vous aurez acquis un peu plus d'expérience, vous pourrez effectuer ce contact, même si vous êtes au volant de votre voiture. Au début, je m'arrêtais pour être certaine d'opérer correctement. Mais maintenant, même si je roule à cent vingt kilomètres à l'heure, je peux le faire tout en conduisant.

Actuellement, quand je vois sur la route une bête qui est morte, je cherche à déterminer s'il y a longtemps qu'elle a été heurtée.

Je procède de la même façon avec tous les animaux. Bien entendu, lorsque l'animal n'est pas mort, je m'arrête pour le soigner. Et je mets en pratique ce que l'on m'a appris en Énergie. Je me suis entraînée pour ce genre d'action.

Phénomène curieux, lorsque je me présente à ces frères et sœurs du monde animal, je constate que la plupart me connaissent, même s'il s'agit de notre première rencontre. Je constate que le fait d'avoir écrit mon livre, *Les Ailes de l'Amour*, tome I, est connu, non seulement des humains, mais aussi du règne animal, et cela me fait toujours sourire. Lorsque je parle à l'entité sur les lieux d'un accident, j'entends souvent ceci:

«Oui, oui, Yoan, c'est toi. Je te connais. J'ai entendu parler de toi et je t'attendais.»

***

Vous savez que vous êtes toujours gagnant lorsque vous donnez avec amour et conscience à la nature. Au cours de la dernière année, j'ai traversé moi aussi, comme tous et chacun, des périodes délicates ou difficiles. Dans ces moments, je vais plus souvent me promener dans les bois, parmi les arbres, avec les animaux. Naturellement, en agissant ainsi, je ne suis jamais seule.

Quelle ne fut pas ma joie lorsque, après la sortie de mon livre, j'entendis un vieil arbre, je devrais plutôt dire, de façon plus précise, un arbre avec une expérience de vie grandiose, me dire à peu près ces mots: «Bonjour, Yoan, c'est toi, la personne dont on parle tant dans notre milieu. Je te vois et je te sais bien triste aujourd'hui. Alors, approche-toi, Yoan, et viens te brancher à mon aura. Je vais te réénergiser avec amour. La parution de ton livre nous a tellement aidés en conscientisant les humains à notre existence sur cette planète. Confie-moi ta peine et je vais la muter pour toi. Et tu n'auras plus cette peine. Viens...»

Si vous saviez comme cela m'a fait plaisir! Et chaque fois que cela se produit encore, j'en suis comblée. Quel grand bonheur! Entre nous, on peut bien s'entraider.

Mais il n'est pas nécessaire d'écrire un livre pour aller se brancher à l'aura d'un arbre, pour profiter de son énergie si extraordinaire. Vous pouvez procéder comme suit.

Après quelques minutes de silence intérieur, choisissez un arbre. Laissez-vous guider par votre intérieur, faites-vous confiance. Allez vers cet arbre, approchez-vous-en avec amour. Arrêtez-vous à environ un mètre de lui et attendez. Entrez encore plus en vous et maintenant, parlez à votre arbre. Ne craignez pas d'être ridicule, sinon, vous ne pourrez jamais aller plus loin dans ce genre de contact. Je vous donne un exemple de la façon dont je leur parle: «Bonjour à toi, arbre magnifique... Comme tu es beau...!» Cela dit avec douceur et amour. Je poursuis: «J'aimerais beaucoup me plonger dans ton aura, dans ton énergie. J'ai grand besoin de toi. M'accorderais-tu ta permission?» Et j'attends sa réponse. Jusqu'à présent, jamais aucun arbre ne me l'a refusée.

La réponse, vous la sentirez là, au fond de votre cœur. Vous sentirez si vous pouvez avancer dans l'aura énergétique de cet arbre que vous avez choisi. Mais il ne faut pas oublier que vous entrerez dans sa vie privée en pénétrant dans son champ vibratoire. Maintenant, approchez-vous doucement, avec beaucoup de respect et d'amour. Et lentement, appuyez-vous sur lui, de dos ou de face. Élevez-vous et entourez l'arbre de vos bras. Laissez-le prendre complètement charge de vous pendant quelques minutes. Abandonnez-vous entièrement, faites-lui confiance. Vous sentirez son énergie vous envahir merveilleusement. Vos chakras seront rééquilibrés.

Demeurez collé à votre arbre pendant dix, quinze minutes, et même plus encore. C'est vous qui décidez, avec l'accord de cet arbre. Puis, avec douceur, respect et tendresse même, retirez-vous de l'aura de votre arbre. Parlez-lui et n'oubliez surtout pas de le remercier.

Voyez-vous, cet arbre est branché à notre Mère la Terre, par ses énormes racines, et à notre Père le Cosmos, par ses magnifiques branches qui lui servent d'antennes. Il a ce qu'il faut pour vous réharmoniser majestueusement et presque divinement.

L'an dernier, j'ai tenté l'expérience alors qu'une vilaine grippe voulait s'emparer de moi. L'arbre que je choisis, qui avait environ cent cinquante ans, me débarrassa complètement de ce virus, et ainsi, je pus participer à une conférence cinq jours plus tard.

***

Ici, j'aimerais ouvrir une parenthèse sur le rôle important que joue dans notre vie les règnes minéral, végétal et animal.

Il serait temps que l'homme prenne conscience de leur présence. Ces règnes sont parmi nous pour nous enseigner, pour nous tenir compagnie de façon plus intime lors de notre cheminement, tout au long de notre vie.

***

J'ai commencé à soigner des éléments des différents règnes après ma Connexion Terre-Ciel au mont Mégantic, au Québec, il y a maintenant quatre ans. Cette période a été pour moi d'une richesse incomparable.

Il y avait alors réunion des principales figures en charge de nos frères les animaux sur cette planète. Lors d'une méditation que je fis un certain soir, j'appris que les animaux avaient demandé à leur chef de file de disparaître de la Terre, car l'homme ne les com-

prenait pas suffisamment; il les faisait souffrir à ou-
trance soit sur les tables des laboratoires, soit dans les
abattoirs, soit tout simplement pour sa satisfaction
personnelle ou pour assouvir son désir de domination
et d'autorité.

Je dus attendre quelques jours avant de savoir
quelle était la réponse des membres du conseil des
animaux. Finalement, j'appris que nos frères les animaux disparaîtraient de la Terre.

C'est déjà commencé, qu'on pense au suicide collectif des baleines et des dauphins. Et les goélands, ici, à
Montréal même, sur le toit du stade olympique, il y a
trois ou quatre ans... Il s'agissait, là aussi, d'un suicide
collectif, pour nous amener à réfléchir sur notre façon
d'agir envers le règne animal et envers notre planète
la Terre.

De plus en plus fréquemment, il arrive que les baleines soient retirées de leur milieu naturel, plus particulièrement la nuit. Elles sont amenées sur d'autres
planètes où elles sont heureuses et en sécurité.

Nous avons oublié que ces frères et sœurs avaient
accepté de venir ici pour nous aider à grandir en
conscience vers le Père. Mais combien parmi nous se
rappellent cela?

Ces animaux nous apportent le message suivant:
«Réveillez-vous, humains, avant qu'il ne soit trop
tard... Ce que vous nous faites, vous le préparez pour
vous-mêmes... Regardez votre couche d'ozone, votre
eau qui est polluée; réagissez avant qu'il ne soit trop
tard.»

Encore dernièrement, une baleine s'est échouée à
l'Isle-aux-Coudres. Après s'être concentrés, les mem-

bres de l'équipe interne de Galacteus-Canada se sont dispersés afin d'aller à la rencontre de l'entité de cette baleine.

L'entité n'avait toujours pas quitté la région, comme si elle nous attendait. Chaque membre présent de l'équipe est revenu avec une partie de son message. Pour ma part, je trouvais dommage de ne pas avoir appris plus tôt la présence de la baleine à cet endroit où je me trouvais quelques jours avant l'incident, et je le dis à la baleine. Celle-ci me répondit: «Non, il ne fallait pas que tu le saches, Yoan. Ainsi, j'ai pu attirer l'attention de certaines personnes et j'espère avoir éveillé en elles une partie de leur Conscience. En mourant de cette façon, je me suis donnée en exemple et j'espère que vous savez que vous vous préparez une longue et lente agonie comme celle que j'ai vécue il y a quelques jours. Il y a de la pollution partout, dans l'air et dans l'eau. Un bateau qui passait m'a blessée avec son hélice et je suis venue m'échouer ici. J'espère avoir éveillé un peu plus la dimension d'Amour et de Conscience dans le cœur des êtres humains.»

Cette baleine s'est donc ainsi offerte en sacrifice pour réveiller certains d'entre nous. Son message, elle l'a livré par bribes aux membres de l'équipe. Nous l'avons reconstitué, et c'est celui que je viens de vous communiquer.

**

Une autre aventure importante qui a transformé ma façon de procéder et qui m'a permis de m'élever davantage a été celle que j'ai vécue avec les fées et les dévas, avec certains animaux de la forêt qui entoure le site de Galacteus, en France.

Cette expérience m'a fait comprendre que la façon dont nous pratiquons la guérison en énergie doit elle aussi évoluer, qu'elle doit s'élever toujours vers le haut, vers le subtil.

Par un bel après-midi ensoleillé, alors que je méditais, seule dans ma chambre, je reçus le message d'aller à l'extérieur. Cela me dérangeait mais je sortis. Une amie qui passait par là me dit que deux essaims d'abeilles venaient d'être presque entièrement détruits par maladresse. J'entendais bourdonner des abeilles, et particulièrement des reines. Je me concentrai sur ces dernières, puis, avec quelques membres de l'équipe, je me rendis sur les lieux d'où provenait le bourdonnement, à quelques minutes de marche de là.

J'entrai immédiatement en contact avec les reines des deux essaims. Elles étaient survoltées et je leur suggérai de se calmer. Il se passa quelques bonnes minutes avant d'en arriver à un niveau d'énergie où il était possible de communiquer sans tension.

Les deux reines ne comprenaient pas pourquoi elles n'avaient pas été avisées de ce qui allait se passer. Elles auraient alors pu préparer les abeilles nourricières, lesquelles auraient pu sauver certains œufs. Le choc aurait été ainsi moins difficile à supporter.

J'expliquai aux deux reines qu'elles étaient victimes d'une maladresse humaine, ce dont je les priais de nous excuser. Je leur demandai aussi si on pouvait faire quelque chose pour sauver une partie des deux essaims. Elles me dirent que nous pouvions effectivement ramasser les essaims là où ils avaient échoué et les placer au pied d'un arbre, ou encore, ce qui était mieux, nous pouvions les suspendre à une branche. Il nous fallait par la suite former une sorte de mur, de boîte autour des essaims, en laissant une ouverture sur le devant. Il fallait également, me dirent-elles, que les essaims soient couverts, au cas où il pleuvrait.

Elles me demandèrent aussi d'envoyer de l'énergie au moment où s'effectuerait cette opération afin que les abeilles qui s'étaient dispersées aient une chance de repérer l'endroit où se trouvaient les essaims. Ainsi, une partie de l'opération sauvetage des œufs allait peut-être réussir.

Tout heureuse de cette possibilité, je communiquai aux deux personnes qui voulaient participer activement à la survie des deux essaims les instructions que j'avais reçues.

Plus tard, en revenant à ma chambre, je rencontrai une personne qui avait un ami spécialisé dans l'élevage des abeilles. Ce dernier me confirma ce que les reines abeilles m'avaient confié, c'est-à-dire que lorsqu'il y a chute d'essaims au sol, il faut transporter ces essaims dans un arbre et placer un genre de boîte protectrice autour, avec une ouverture sur le devant de la boîte. J'étais ravie, car les reines abeilles m'avaient bien guidée.

Cette aventure m'a permis de me rendre compte, à mon grand désarroi, que j'avais peut-être manqué de vigilance à l'égard du règne animal au cours de la dernière année, me préoccupant surtout des animaux morts ou blessés sur le bord des routes. Je constatai aussi que j'aurais pu maintenir mon élan initial, ainsi que je l'avais toujours fait par le passé. Je me rappelai alors plusieurs lettres que j'avais reçues de personnes qui me demandaient de l'aide pour leurs animaux.

À ma décharge, je dois mentionner que j'avais été très occupée par la création des centres Galacteus à travers le Québec, qui m'avait demandé énormément de temps. Pour faire amende honorable, je compte bien consacrer du temps à des consultations pour mes frères les animaux après la période des fêtes de 1992. Vu que je dois former des êtres près de moi dans ce domaine, je suis heureuse d'avoir constaté ces points.

***

Quelques jours après cet incident, mes amis de Galacteus-France entreprirent d'aménager un étang naturel pour la baignade dans une partie basse d'un terrain entouré d'arbres. Il fallait pour cela enlever des taillis, ce qui perturberait la végétation et les animaux qui y vivaient.

Je me plaçai en état de capter la présence des fées et des dévas de l'endroit, car je constatais à quel point il était important de les contacter pour qu'ils puissent prévenir nos frères les animaux, habitants de ces lieux; ce qui fut fait.

Lorsqu'il fallut abattre un arbre, je travaillai fort avec le déva de ce frère afin de le supporter dans ce qu'il traversait et de l'aider à passer. Il était merveilleux de voir la collaboration, et même la communion, des mondes de l'invisible et du visible afin que tout ce qui vivait dans ce petit coin puisse quitter son domicile le plus harmonieusement possible.

Ma propre réaction me surprit, car normalement, j'aurais été bouleversée de vivre cela. Mais là, je me disais que quelque chose d'important m'était enseigné avec la réalisation de ce bassin et que si je demeurais avec mes émotions terrestres, je n'arriverais pas à passer au travers. Et j'avais raison, vous savez.

Je n'eus aucune difficulté à m'élever au-dessus de mes émotions. Pour assister la nature vivant une certaine agonie, vous n'êtes d'aucun secours si vous êtes «absorbés» et «rongés» par votre peine. Il vous faut passer au-delà de ces émotions, car en vous élevant, vous pouvez être utiles en ayant une meilleure maîtrise des événements. Ainsi, tous les êtres qui vivent autour de vous savent qu'ils peuvent compter sur vous, et c'est cela, l'essentiel.

C'est particulièrement à cette occasion que je compris ma formation, celle reçue et pratiquée pendant deux années, et ce, sans arrêt, avec la fameuse Connexion Terre-Ciel. J'étais très heureuse de constater à quel point je maîtrisais bien ce plan. Cela me renforça davantage dans ma mission.

Tout au long de l'après-midi, je continuai mon boulot de réconfort et d'assistance à l'égard de la nature. Quel bonheur de pouvoir aider de cette façon! Mais, ainsi que je vous l'ai dit précédemment, je sentais que quelque chose de très particulier m'était enseigné, qu'un signe allait se manifester. Mais quoi? Doucement et en tentant de rester le plus possible en contact avec mon intérieur, je me tenais à l'écoute de tout ce qui pouvait être un signe pour moi.

Je captai un premier point: on pouvait rapidement donner vie à un projet si on était en groupe. En effet, une personne seule aurait mis une partie de l'été à faire ce que, à quarante, nous avons réalisé en une journée et demie.

Mais là encore, je me disais: «Il y a sûrement quelque chose de plus haut qu'il me faut saisir.» Pour moi, cette aventure était un test. Sensible comme je le suis à la nature, j'avais là une occasion parfaite de me mettre à l'épreuve.

Selon moi, j'ai gagné la première partie, en participant sereinement au dégagement de cette petite forêt. Mais je sentais qu'il y avait quelque chose de plus fort dans toute cette histoire... et je me devais d'être attentive afin de trouver l'ouverture, la fente qui me permettrait de me faufiler plus haut et d'aller chercher ce qu'il fallait pour saisir et intégrer le précieux enseignement donné par Io.

Mais il devenait évident pour moi que je n'arrivais pas à capter l'essentiel de la trame qui se déroulait sous mes yeux.

Au cours de la soirée, nous nous sommes réunis autour du nouveau bassin. L'ambiance était harmonieuse, car le bonheur s'était installé à cet endroit. Les jeux de lumières, la musique, le bruit caressant de l'eau nous rafraîchissaient psychologiquement.

Io nous expliqua que ce bassin entouré d'arbres était comme une cathédrale naturelle, et qu'il représentait une porte pour les entités des dimensions supérieures. Je tiens cependant à préciser que je n'entendis pas cette explication. Je devais être captivée par le spectacle magnifique que nous donnaient les ondines et les fées qui se baladaient, radieuses et comblées. Je ne compris que plus tard pourquoi je ne devais pas connaître, à ce moment-là, l'explication donnée par Io.

Quelques jours plus tard, l'équipe de Galacteus-Canada regagnait Montréal et je déménageais dans une maison plus petite, un endroit féerique et plus intime. En entrant dans ma chambre, je «sentis» la présence d'une entité assez particulière. Je m'arrêtai, et mon regard se dirigea vers l'énorme et le majestueux séquoia qui servait d'ombrelle à la petite maison. Je constatai alors avec joie la présence d'une superbe entité à la beauté remarquable, qui se cachait derrière cet arbre géant.

Je pris contact avec elle et lui demandai de se présenter, ce qu'elle fit harmonieusement. Puis elle s'avança et je me trouvai en présence d'une énergie que je n'avais jamais connue auparavant, ce qui n'était pas peu dire, croyez-moi.

L'entité était timide. J'appréciai sa timidité et je lui demandai très doucement ce qu'elle faisait là, et aussi pourquoi elle se cachait de cette façon.

Elle me répondit sur un ton très subtil: «Mais, c'est toi, l'être qui parle aux animaux?» Je lui souris. Elle était enveloppée d'une robe de lumière. Elle était longue, effilée et si gracieuse. Son regard dégageait un amour magnifique. Son énergie atteignait un niveau élevé et je pouvais la capter.

Cette entité venait d'une dimension supérieure avec laquelle il m'était donné pour la toute première fois d'entrer en contact. Sa présence me faisait du bien.

Elle me dit qu'elle était accompagnée de trois de ses frères et sœurs, cachés, eux aussi, derrière l'arbre. Je lui suggérai de leur faire savoir qu'ils pouvaient s'approcher sans problème. Je les accueillis en souriant avec amour. Ils me dirent qu'ils savaient qui j'étais et qu'ils trouvaient splendide que je puisse travailler avec les dévas, les fées et autres personnages, tout comme je le faisais avec mes frères et sœurs les animaux. Ils ajoutèrent qu'ils étaient venus pour m'enseigner des choses, et plus particulièrement pour m'apprendre à perfectionner mon contact avec ces dimensions.

Je demandai aux quatre entités de revenir quelques heures plus tard afin de poursuivre la conversation. Le soir venu, elles étaient au rendez-vous avant que je sois entièrement prête. Une partie du message qu'elles m'ont livré se résume comme suit: elles sont les grandes responsables, les supérieures des dévas, des fées, etc., sur la planète Terre, et elles sont arrivées par la «porte» du bassin.

Je ne comprenais pas tout à fait. Le lendemain, une amie me dit que Io avait expliqué le rôle de ce bassin, qui servait de passage aux dimensions supérieures. Le déclic se fit alors automatiquement. C'était cela que j'attendais, l'arrivée de ces entités qui allaient m'apporter un savoir divin, afin que je puisse aider encore plus magnifiquement et subtilement tout ce monde des dévas et leurs frères, les animaux. Je n'en revenais pas que ces chefs, ces responsables des dévas sur la planète Terre viennent vers moi, qu'ils m'aient choisie.

Au fond de moi, je remerciai le Père qui m'avait permis de vivre activement cet enseignement. Je trouvais cela merveilleux.

À ce moment-là, je constatai que je me devais de changer de niveau, et ce, immédiatement; il fallait que je monte encore plus haut dans les trames afin de gérer l'«énergie» de façon complètement différente, mais plus efficacement.

Je rappelle ici ce que j'écrivais au début de ce chapitre: il nous faut changer notre façon d'agir et de guérir si nous travaillons dans ce domaine. Nous ne pouvons nous enliser dans une sorte de routine, car il nous faut évoluer aussi à ces niveaux.

Je pris alors davantage conscience qu'il nous fallait faire attention de ne pas trop nous alourdir avec les maladies et les problèmes des autres, qu'ils soient humains ou animaux. Si nous nous laissons trop absorber par ces niveaux, nous ne pouvons plus monter. Trop souvent, cela se produit sans que l'on s'en rende compte. Nous devons prendre conscience qu'il nous faut bénéficier, nous aussi, de la guérison que nous apportons aux autres. Il nous faut savoir utiliser et gérer à notre profit ce travail fait à autrui avec amour afin de nous élever davantage vers le Supérieur. C'est une question de conscience.

Cette aventure se révélait magnifiquement positive, alors qu'elle aurait pu être un drame pour moi. Comme j'étais fière de moi, car tout ce qui vivait autour de moi allait bénéficier au maximum de ce nouvel enseignement!

J'ai commencé à recevoir l'enseignement de ces grands responsables des dévas sur la planète Terre. Ainsi, je pouvais contribuer davantage à activer le texte suivant tiré de la préface de *Science Unitaire*, de I.J.P. Appel-Guéry: «Il est grand temps d'éveiller l'humanité à une nouvelle prise de conscience, par un type d'éducation aidant l'être humain à retrouver le sens de sa véritable responsabilité cosmique. Ainsi, il cessera de faire obstacle par ignorance à l'évolution de la planète.»

Je tiens personnellement à remercier Io de m'avoir permis de vivre une telle aventure. Cela m'a aidée à être plus consciente. Et, comme vous le savez, tout est dans la Conscience, car la Conscience est Dieu.

MÉDITATION

Visualisez à nouveau votre corps subtil, avec votre chakra du cœur très lumineux et l'axe bleuté allant du sommet du crâne jusqu'à vos pieds, en passant par le chakra du cœur.

Vous allez maintenant prolonger l'axe bleuté au-delà de votre tête, jusqu'à un point très élevé que vous pouvez atteindre sans forcer, sans perdre conscience de la totalité du processus en cours.

Prenez le temps d'écouter intérieurement. Cet axe devenu une antenne peut vous donner accès à une réponse par une émotion, une sensation.

Puis stabilisez cette concentration en respirant doucement.

Continuez maintenant votre lecture à votre rythme, en restant à l'écoute d'une dimension nouvelle qui pourrait se faire jour en vous.

***

La Loi des Dieux

Il existe

dans la création

un certain nombre de

choses qu'il ne faut pas faire.

La Loi des Dieux veut que tout ce qui a

trait au corps soit sanctifié, car la Voie

est un chemin de pureté. Et pour y entrer, il faut

avoir conquis la Toison d'or,

c'est-à-dire qu'il faut connaître

la puissance de ses limitations

en ayant brisé les chaînes qui entouraient son

esprit. Il suffit de se reconnaître pour pouvoir

aller au-delà d'un plan. Toute limite est

une apparence transitoire. Il faut pour guérir

d'un mal avoir la certitude que ses

limites ont disparu. Nul ne peut vaincre,

s'il ne se croit pas vainqueur.

Il faut avoir en soit la Foi, la Paix

de l'Amour désintéressé

et merveilleux.

Heureux
ceux qui ont le cœur pur.

Idylle Spirituelle
I.J.P. Appel-Guéry

Chapitre 4

Au début de l'année 1992, j'ai vécu une expérience assez particulière, car c'est à ce moment que j'ai compris que je pouvais accompagner l'Entité des gens, après leur mort.

Ma première expérience en ce domaine se passa avec mon parrain. Cet homme foncièrement bon s'était toujours préoccupé de moi et j'étais très proche de lui, même si l'on ne se voyait que quelques fois par an.

En février 1992, on m'avertit qu'il était entré d'urgence à l'hôpital de Sherbrooke. Une fois rendue sur les lieux, je constatai, en voyant son état physique assez déplorable, qu'il n'en avait sûrement pas pour bien longtemps à vivre.

Il gisait là, amaigri, plusieurs tubes branchés à diverses machines qui le rattachaient à la vie. J'eus une grosse peine de le voir ainsi. Je lui parlai doucement et il me reconnut. Je lui communiquai de l'Énergie, ce qui lui fit grand bien. Malgré la difficulté qu'il avait à parler, il réussit à me faire comprendre qu'il ne voulait pas mourir et qu'il allait se battre. Cet ex-militaire de carrière possédait une force de caractère assez particulière. J'avais toujours aimé cet homme, et il avait toujours été pour moi un super exemple à bien des niveaux.

Je rentrai à Montréal le même soir, me demandant si j'allais revoir mon parrain «en vie». Quelques jours plus tard, son épouse, que j'aime beaucoup aussi, m'appela pour m'avertir que si je désirais voir mon oncle une dernière fois, il me fallait me rendre à l'hôpital sans plus tarder. Je retournai donc à Sherbrooke.

Quand je me trouvai auprès de lui, je vis des anges autour de son lit. Il était déjà dans le coma. Sa mort était imminente. C'était une question de quelques heures, tout au plus. Les infirmières me confirmèrent qu'il avait reçu les dernier sacrements la veille.

Je demeurai seule avec lui. Pendant trente minutes, je contactai son Entité... qui était déjà bien loin. Elle accepta de revenir, car, me dit-elle, mon parrain avait quelque chose de bien particulier à me confier. Elle me demanda de lui donner un coup de pouce pour l'aider à revenir dans son corps physique. Avec l'approbation de ses Guides et la permission de mon Père Spirituel, j'allai à la rencontre de cette Entité, puis je fis une Connexion Terre-Ciel au corps formel de l'humain qui était allongé devant moi et qui attendait la mort. Cela fonctionna magnifiquement, car après ces trente minutes, mon parrain reprit connaissance. Son visage était serein et ses rides avaient disparu.

Tant et si bien que les médecins qui le soignaient vinrent constater avec étonnement son retour à la vie et ils lui parlèrent. Mon oncle pouvait parler clairement aux médecins, qui continuaient à se poser des questions sur un retour aussi énergique. Malheureusement, tout ce que ces médecins décidèrent, ce fut de lui faire subir un électrocardiogramme, afin de savoir où en était son état physique.

N'importe qui aurait pu se rendre compte, seulement à regarder mon parrain, que la fin était proche. Au lieu de lui prodiguer amour, affection, tendresse et temps d'écoute, ce furent des machines qui prirent la relève.

J'étais fâchée. J'aurais voulu chasser de la chambre et les médecins et les infirmières. Je n'en revenais pas. J'avais fait revenir l'Entité de cet homme qui désirait profondément me parler, pour me confier certains secrets avec lesquels il ne voulait pas mourir, et personne d'autre que moi ne se souciait de son état psychologique face à une mort prochaine. Nous fûmes séparés pendant presque dix minutes précieuses. C'est long, dix minutes, et si important lorsque vous savez que madame la «Mort» les compte.

J'attendais dans le corridor, les larmes aux yeux, essayant de me calmer intérieurement, afin de rester en contact avec l'Entité de mon parrain.

Lorsque je revins auprès de lui, ses yeux étaient très clairs. Il parlait doucement et logiquement. Il était vraiment celui que j'avais toujours connu. Je savais d'où il revenait et ce qu'il avait vu, et grâce à cela, je pus me placer à son diapason. Il me dit: «Tu sais que c'est aujourd'hui.» J'acquiesçai de la tête. Avec son petit air espiègle, il reprit: «Mais... qui te l'a dit?» Tout en le regardant tendrement, je lui souris en lui disant: «Je le sais... c'est tout.»

Je ne forçai rien au cours de notre échange verbal. Je savais fort bien ce dont il désirait tant me parler. Je lui tendis la main, mais... rien. Il n'osait pas faire le pas. J'acceptai ce fait et je lui fis sentir que cela n'avait pas d'importance, au fond. Que cela ne m'empêchait pas de l'aimer comme je l'avais toujours aimé. Je lui fis comprendre qu'il avait le droit de garder son secret pour lui et que j'allais en faire autant.

Au bout d'environ deux heures, il commença à être fatigué et me demanda de le quitter. Mon cœur se serra. Je lui laissai l'ourson en peluche que je lui avais acheté ainsi que les barres de chocolat, comme il l'avait toujours fait avec moi quand j'étais enfant. Puis, après l'avoir regardé consciemment une dernière fois, je partis. Inutile de vous dire comment je me sentais.

Je revins à Montréal à toute vitesse. Je ne savais pas pourquoi j'étais dans cet état. Je n'avais que lui en tête. J'appelai la personne qui s'occupait de l'organisation de mes cours et de mes conférences et je l'avisai que j'annulais tout pour la semaine suivante. Je voulais être disponible, totalement et complètement, pour le départ de mon parrain. Je sentais et je savais que je devais travailler avec son Entité, et je m'en sentais capable. Maintenant, le temps était venu pour moi de faire ce genre de travail. Toute l'expérience acquise au cours des dernières années me porterait fruit.

Quelques heures plus tard, mon parrain trépassait. J'en fus avertie par un appel téléphonique. Je commençai donc à travailler aussitôt. Je fis ce que mon Père Spirituel m'indiquait, et aussi ce que les Guides de mon parrain désiraient pour lui. C'était une première pour moi, car personne ne m'avait initié à ce genre de travail.

Quelque temps après sa mort, j'appelai son Entité et elle se présenta à peine quelques secondes plus tard. Elle était dans un état pitoyable. La peur de la mort rongeait mon parrain et il ne comprenait pas du tout qu'il était décédé. Il tremblait de tout son «Être subtil».

Je me dédoublai et j'allai avec lui au-dessus de son corps physique afin de lui faire prendre conscience, tranquillement, qu'il n'avait plus besoin de son enveloppe charnelle. Je fis tout mon possible pour lui faire accepter cette situation de sa propre mort substantielle; je lui répétai calmement qu'il n'avait plus besoin de cette enveloppe, car l'Entité qu'il était et qui se trouvait en face de moi n'était plus reliée à ce corps par son «cordon d'argent». Je lui montrai ce qui restait de ce cordon et je lui expliquai doucement qu'il n'avait aucune raison d'avoir peur. Nous continuâmes à communiquer sereinement.

Je réussis à le calmer en lui faisant des traitements énergétiques. Il réussit alors à voir ses propres Guides autour de lui et je fis les présentations. Vous me direz: comment se fait-il que, même mort, il n'arrivait pas à voir ses Guides, vu qu'il était lui-même désormais dans l'Invisible? Vous savez, la peur bloque toute possibilité de Lumière, même lorsqu'on est de l'«autre côté».

Je lui présentai donc ses Guides, ce qui le rassura et le calma de plus en plus. Ses Guides signèrent ensemble un programme de travail afin d'aider cet être à passer à un niveau plus élevé que celui où, normalement, il serait allé.

Il me fallait passer du temps avec cette Entité pour lui faire prendre conscience de certains points. D'où l'importance de dégager notre «dessous» au cours de notre vie, ce fameux système impérieux dont j'ai parlé au chapitre précédent.

Naturellement, mon parrain, qui était âgé de soixante-treize ans, n'avait aucune notion de tout cela. C'est pourquoi je voulais travailler avec lui pendant le temps nécessaire, et ce, avec tout l'Amour Universel dont j'étais capable. Je voulais aider mon parrain, son Entité, à s'élever vers la Lumière, et non à descendre aux enfers.

Le lendemain de son décès, certains phénomènes se produisirent chez moi. Des coups sur les murs de ma chambre à coucher me tirèrent de mon sommeil. Je savais qu'il s'agissait de mon parrain qui désirait me parler, que c'était urgent.

Je me branchai sur lui. Il avait terriblement peur, car on était en train de le préparer pour être exposé, puis incinéré. Il était complètement dominé par la peur de souffrir lorsqu'on brûlerait son corps physique.

Cet homme avait déjà fait deux guerres. Je sentais qu'il se souvenait parfaitement de la souffrance physique vécue au cours de ces expériences de combat. À nouveau, je le calmai avec l'aide de l'Énergie et je lui fis comprendre qu'il ne pouvait plus rien ressentir de par le corps formel et substantiel qui était le sien auparavant, car il en était maintenant entièrement coupé. Il n'avait donc pas à avoir peur. Rassuré, il se calma.

Chaque jour, pendant une semaine, je rencontrai cette Entité, et nous passions plusieurs heures ensemble. J'avais tout mon temps pour lui. J'étais à son service.

Je me souviens que la première nuit, alors que je l'avais emmené voir son corps physique, je l'avais envoyé voir sa fille, son épouse, son frère, sa famille, car il avait certaines petites querelles à liquider et certains problèmes à régler, du mieux qu'il le pouvait, évidemment.

Je lui expliquai que pour s'alléger afin de monter plus verticalement d'ici quelques jours, il devait faire sur lui-même un certain travail pour se dégager «volontairement» des personnes envers lesquelles il avait encore de la rancune.

Pendant les jours qui suivirent, il alla se promener et rencontrer ces personnes, particulièrement la nuit.

Je continuai à travailler avec lui et je lui montrai comment faire son axe. C'était superbe de le voir créer cet axe en lui. Je n'oublierai jamais l'air qu'il avait alors, car je voyais à quel point cela le transformait lumineusement. Je fis descendre une énergie bleue par cet axe, ce qui le calma davantage. Je lui enseignai comment le faire lui-même, et aussi certaines autres choses.

Je lui fis relever la tête et il vit alors au-dessus de lui deux boules lumineuses, des boules d'énergie dorée. Je lui dis que c'était vers une de ces boules de lumière qu'il irait d'ici quelques jours, lorsqu'il serait prêt. Il me sourit et peu à peu, il commença à prendre de l'assurance.

Je travaillai avec son Entité à raison de deux à trois fois par jour, mais comme je vous l'ai déjà mentionné, j'étais à son entière disposition.

Le jour de ses funérailles, il paniqua à nouveau. Il était venu me voir le matin de cet événement. Je n'assistai pas formellement à la cérémonie, mais j'y allai avec lui, en dédoublement. Par la suite, je lui demandai d'aller vers les membres de sa famille et de tenter de capter le maximum de paix et d'harmonie que chacun pouvait lui donner et de leur rendre la pareille. Je lui conseillai également de continuer ses rencontres nocturnes avec les Entités de sa propre famille.

Au fil de nos rencontres, j'ai cru remarquer que mon parrain avait engraissé. Je vous explique. Lorsque son Entité s'est présentée à moi après sa mort physique, elle avait la même allure que son corps formel lors de sa mort, c'est-à-dire qu'elle était très maigre, aussi maigre que l'était Gandhi à sa propre mort. Maintenant, ce que je voyais de cette Entité prenait meilleure allure. Elle avait comme «engraissée»... Je la sentais plus sûre d'elle, plus rassurée et confiante. Elle travaillait très fort, car elle savait et comprenait maintenant ce qui se produisait et qu'elle désirait avant tout monter vers la Lumière.

Cette Entité s'élevait graduellement au-dessus de la Terre, s'éloignant de ce gouffre profond dans lequel elle aurait risqué de tomber si je ne l'avais pas aidée. Elle prenait maintenant conscience de son élévation et elle était heureuse de constater que celle-ci se poursuivait. Elle s'appliquait à capter l'Énergie des deux boules de lumière afin de savoir vers laquelle elle allait se diriger le moment venu. Ces boules, vous vous en doutez bien, représentaient des «portes».

Par le canal de son Entité, mon parrain me raconta ce qu'il aurait aimé me dire de son vivant. Il me dit qu'il regrettait son silence formel. Je lui fis comprendre que ça allait bien pour lui, malgré cela. Mais je lui signalai qu'il était bon qu'il enregistre cela pour une prochaine vie, qu'il fallait régler le plus de choses possible de son vivant, car ce qu'on laisse traîner, on doit le payer à la fin du parcours.

Nous échangeâmes ainsi des idées pendant plusieurs heures et je voyais mon parrain se transformer merveilleusement. Il était devenu souriant, détendu, alerte au moindre événement qui se passait autour de lui. Si je peux me permettre de parler ainsi, je peux dire que j'étais fière de lui, il apprenait tellement vite.

Tout cela le libéra magnifiquement et servit à le dégager davantage. Si bien qu'au bout de cinq jours, les Guides de son Entité me firent signe qu'elle était prête à monter plus haut, à franchir le pas qui allait lui donner accès à un monde merveilleux. Mes Guides acquiescèrent.

Le moment était donc venu. Je ne peux vous le cacher, je pleurais de joie et d'émotion, car je savais que je n'allais plus revoir mon parrain pour un bon bout de temps. Je me dédoublai et nous sommes montés tous les deux côte à côte, et nous nous sommes dirigés vers la première porte, celle qui se trouvait la plus près de nous.

L'Entité devait se concentrer, se centrer sérieusement, afin de découvrir quelle porte lui était ouverte. La première vers laquelle nous nous sommes dirigés était un peu plus à gauche. Bien avant d'y arriver, l'Entité me fit signe que ce n'était pas la bonne. J'étais fière de mon parrain et heureuse pour lui. Il avait raison, cette porte n'était pas celle qui lui était destinée.

Nous nous sommes alors automatiquement dirigés vers la porte qui se trouvait légèrement plus haut, vers la droite. Si cette Entité pouvait maintenant se rendre jusque-là, c'était dû au fait qu'elle avait travaillé très fort au cours des derniers jours, sinon elle n'aurait eu aucune possibilité de s'élever jusqu'à ce niveau.

Nous nous sommes présentés devant cette porte. Je le répète, c'était, pour moi aussi, une première dans ce domaine. Passer une porte comme on le fait à l'occasion en spiritualité est bien différent du fait de préparer une Entité à reconnaître «sa» porte et à la passer.

Rendu à ce point, je compris que je ne pouvais aller plus loin. Je demeurai donc là, à regarder l'Entité de mon parrain passer la fameuse «porte». Il avança dans un genre de tunnel doré. Comme «il» était beau à voir! J'étais tellement heureuse pour lui! Si vous saviez ce que je pouvais ressentir à l'intérieur de moi. C'était magnifique à vivre. Le fait de savoir que j'avais pu l'aider de cette façon me transportait de bonheur.

À l'extrémité du tunnel se tenait mon père décédé depuis quinze ans, qui attendait mon parrain. J'envoyai un gros bisou à papa. Ces deux hommes se connaissaient et ils avaient été de bons amis sur Terre. Une femme l'attendait aussi. C'était sa mère. Je captai son Énergie, tout en remarquant leur ressemblance surprenante. Pour moi, il n'y avait aucun doute, même si je ne l'avais jamais vue auparavant, j'étais persuadée que cette personne était sa mère.

Je vis également quelques autres Entités qui attendaient un peu plus loin, à l'arrière-plan, dont sa première épouse, ma marraine. Il avait donc réussi. Je savais spontanément qu'une fois passée cette porte, l'Entité de mon parrain allait avoir droit à un repos bien mérité, une sorte de vacances. Par la suite, un autre programme lui serait présenté afin qu'il puisse continuer son évolution, car, même de l'autre côté, on ne cesse de travailler.

L'«Entité» de mon parrain me salua avec un sourire et une expression, un regard d'Amour. Elle était plongée dans le bonheur. Mon père, à nouveau, me salua. Comme il était bon de le revoir! Il y avait si longtemps... Puis, je sus que je devais repartir. Je les saluai une dernière fois.

Je me retrouvai toute seule, assez émue. Je venais de vivre des moments d'une intensité particulière dans un monde de Lumière et j'étais particulièrement heureuse du travail que j'avais fait avec mon parrain.

Quelques jours plus tard, je demandai à ma mère que j'aime tant et qui avait connu la mère de mon parrain s'ils se ressemblaient tous les deux. Elle me répondit par l'affirmative, ce qui confirma à nouveau que ce que j'avais vu, là-haut, était bien vrai et réel.

***

Quelques semaines plus tard, soit le 16 février 1992, alors que je me préparais à me rendre en France, je fis un songe. On m'avisait que mon beau-père, le mari de ma mère qui était très malade, trépasserait deux jours après mon arrivée à Paris. Vu que je décollais le 18 et que j'arrivais à Paris le 19, j'en conclus que mon beau-père allait mourir le 21.

J'en avisai ma mère dès le lendemain et je lui racontai les détails de mon songe. Même si on s'attendait à cet événement depuis quelques jours, on ne savait pas exactement quand il se produirait.

Je quittai Montréal comme prévu et, le 21 février, on m'appela de Montréal pour me dire que mon beau-père Jacques venait de s'éteindre. Cela confirmait les événements du songe que j'avais fait quelques nuits plus tôt. Je demandai immédiatement à l'Entité de mon beau-père de se présenter afin que l'on puisse travailler ensemble. Cette Entité, que j'appellerai Jacques, arriva en quelques secondes en France, là où je me trouvais.

Je procédai avec Jacques de la même manière qu'avec mon parrain. Lui aussi se trouvait en état de choc lorsque je l'ai rencontré. Il était très maigre et sa peur était encore plus grande que celle de mon parrain. Le gouffre sous lui était immense et il s'en serait fallu de peu qu'il tombe dans cet enfer.

Je réussis à le calmer; «il» tremblait littéralement de tout son «Être». Ses yeux exprimaient la peur et ses traits étaient très tendus. Au cours de la nuit, j'envoyai l'Entité Jacques rencontrer les Entités des personnes avec lesquelles Jacques avait eu des accrochages qui n'étaient toujours pas réglés. Il y en avait pour plusieurs jours de travail, mais il savait que j'étais à son entière disposition. Il comprenait que cela allait l'alléger, et que c'était indispensable afin de monter plus haut.

Après avoir appris à faire son axe, «il» vit une boule de Lumière en relevant la tête. Cela annonçait une porte.

Je lui expliquai cela et je travaillai très doucement avec l'Entité Jacques. Il était souvent présent à côté de moi et il partait faire magnifiquement le travail que je lui demandais.

Trois jours plus tard, «il» avait même engraissé et il commençait à monter au-dessus du gouffre. Cela le rassura énormément. Il souriait de plus en plus et ses yeux n'exprimaient plus la peur mais la joie, le bonheur de ce qui s'en venait pour lui. Il avait confiance et savait ce qui allait se produire. Les traits de son visage se détendaient donc de plus en plus. Je lui communiquai alors certains renseignements relatifs à l'Énergie.

Le jour même de mon départ pour Montréal, l'Entité Jacques se dégagea complètement et nous nous dirigeâmes tous les deux vers la fameuse «porte» dorée. Il s'engagea alors, tout comme mon parrain l'avait fait avant lui, dans le même type de couloir. Quelques personnes très chères l'attendaient. Il était comblé. Nous nous quittâmes tous les deux enchantés.

Je revins calmement dans mon corps et je remerciai «Dieu» de ce que je vivais. C'était merveilleux!

Certaines personnes penseront peut-être qu'en faisant ce genre de travail, on s'éloigne de la Source-Centre. Je ne suis pas d'accord. Ce travail est avant tout une question d'Amour Universel et, pour le faire, il faut être capable de cet Amour. Si on ne s'entraide pas les uns les autres, qui le fera?

«[...] Être dans le non-connu,

dans le non-visible,

dans le non-perceptible

avec nos sens habituels [...]

»Il y a des gens qui,

avec leurs oreilles,

entendent mais n'écoutent pas

et d'autres qui,

avec leur sens intérieur,

voient mais ne regardent pas.

»Il faut apprendre

à regarder sans voir,

simplement à percevoir

et à "ÊTRE".»

Mon Guide

MÉDITATION

Retrouvez l'axe bleuté et intensifiez son énergie en un bleu soutenu. Vous allez maintenant prolonger l'axe vers le bas, à partir de la plante de vos pieds, jusqu'à un point que vous pouvez atteindre sans perdre conscience de la totalité du processus en cours. Vous ne devez ressentir aucune tension, aucune gêne.

Maintenant, revenez sur l'axe et cherchez votre point d'équilibre entre les deux pôles que vous avez ainsi créés: l'un au-dessus, l'autre au-dessous de vous.

Stabilisez-vous à l'intérieur de votre corps subtil, à l'endroit où vous vous sentez en équilibre, et respirez calmement.

Il se peut que vous perceviez quelque chose de nouveau pour vous concernant le but de votre incarnation sur cette planète et à cette époque.

Prenez le temps d'intégrer ce que vous avez perçu avant d'aborder le dernier chapitre de ce livre.

***

Bréviaire du Missionné

Il faut absolument que tu ne dévies pas
de la route que tu t'es tracée,
c'est-à-dire qu'il faut toujours porter
ton regard vers la Voie de Lumière
qui est le sens de ta vie.
Rien ne doit te faire dévier de ce but,
car tu es destiné à réanimer
le flambeau de la Foi Nouvelle.
Les Dieux t'ont donné le pouvoir de le faire,
et tu dois savoir que tu en es capable.
Nul ne peut le faire comme toi tu le feras.
Aussi, maintenant, tout est en toi
pour réaliser ce programme,
tu dois rester le même,
identique à travers tous les temps,
car tu vis le Ciel et la Terre,
ceci est nécessaire au Plan.
Dieu te donne le devoir et la Grâce
de réaliser son Plan.
Tu es de ceux qui ne peuvent dévier,
car leur chemin est tracé de toute Éternité.
Ton cœur est déjà retourné près de Dieu
et tu es là, simplement pour représenter
un état d'Harmonie entre le Ciel et la Terre.

Rien ne sera fait sans toi,
car tu es l'enfant symbolique
qui entraîne le troupeau vers la Lumière.
Tu ne sais pas encore qui tu es,
car tu as obscurci ta conscience volontairement,
mais bientôt viendra
le temps du Grand Retour
et alors tout se réalisera selon le Plan.
Dieu te garde,
car tu dois réaliser le Plan
et tout s'accomplira selon la Loi.
Merci.

Idylle Spirituelle
I.J.P. Appel-Guéry

Chapitre 5

Avec ce dernier chapitre, j'aimerais vous remercier pour l'intérêt que vous avez manifesté pour mon premier livre, *Les Ailes de l'Amour*. Quelques semaines seulement après sa parution, plusieurs milliers d'exemplaires étaient déjà vendus. N'est-ce pas merveilleux?

Naturellement, ce succès rapide m'a amenée à faire plusieurs émissions de télévision et de radio, et à écrire un article dans une revue.

J'ai même commencé à donner des conférences. Les gens voulaient savoir, ils avaient besoin de trouver des réponses à certaines de leurs questions.

Mes conférences m'ont valu un courrier assez important. Plusieurs personnes m'ont parlé de leurs «contacts» et m'ont avoué n'en avoir parlé à personne d'autre auparavant. Ces gens m'ont démontré une grande confiance et je leur en suis reconnaissante.

Certaines questions sont revenues plus souvent que d'autres.

Je vais vous en citer quelques-unes, avec les réponses que j'ai données.

– *Depuis combien de temps êtes-vous contactée?*

– Depuis mon enfance, plus exactement depuis l'âge de deux ans.

– *Pouvez-vous nous parler de la Connexion Terre-Ciel?*

– Je considère la Connexion Terre-Ciel comme un cadeau du ciel. J'ai vécu cette initiation sur le mont Mégantic au Québec, trois semaines après mon retour du Pérou. Depuis, je peux servir de canal pour la Dimension Supérieure au niveau énergétique.

– *Est-ce que tout le monde peut recevoir comme vous cette Connexion Terre-Ciel?*

– Il faut être préparé à cette initiation. J'ai reçu une très grande dose d'énergie lors de ce contact sur le mont Mégantic. Ce n'est pas toujours facile.

– *Donc, si la personne n'a pas été préparée, il est préférable qu'elle ne vive pas ce genre de contact?*

– Personnellement, j'ai eu une préparation de longue date avant de vivre cette rencontre. Heureusement, car c'est assez éprouvant. Il nous faut prendre conscience que nous avons été préparés pour cela, car il nous faut être solides psychologiquement, physiquement, émotionnellement et psychiquement.

Une personne qui n'aurait pas été préparée à ce genre de contact aurait, d'après moi, tendance à éclater, ou elle aurait du mal à se souvenir de sa rencontre, ce qui fait qu'elle ne transformerait rien dans sa vie.

– N'avez-vous jamais eu peur lors de vos nombreux contacts?

– Peur physiquement? Non. J'ai eu quelquefois une certaine forme de peur à l'intérieur de moi, comme de sentir mon cœur qui battait fort. Mais j'ai toujours fait confiance à mon Guide de l'époque, car c'était un Être digne de foi et j'ai eu des preuves de tout ce qu'Il m'apportait comme messages. Aussi, j'ai appris à me faire davantage confiance. Alors, tout s'est toujours passé pour le mieux.

– Qu'est-ce que Galacteus?

– Galacteus est un groupe de Jonction Cosmique.

«Face à la crise traversée par l'humanité en cette fin de cycle, certains retrouvent le sens de leur programmation intérieure redécouvrant ainsi leur rôle de jonction entre la conscience supérieure, la présence intérieure et la puissance inférieure.

»Il s'agit donc d'un programme initiatique d'évolution créatrice qui intègre la totalité des facettes de l'individu dans un processus de jonction cosmique.

»Ce programme vise le développement d'une spiritualité vivante et vécue, en accord avec la vie sociale et matérielle, avec tous les moyens que les progrès technologiques actuels ont mis à notre disposition.

»Galacteus aimerait donner les moyens de développer en vous et dans votre environnement la paix de l'esprit, la clarification du mental, l'équilibre affectif et relationnel, la santé physique et la réussite matérielle, qui sont les conséquences inéluctables d'une vie en accord avec les lois universelles de l'Esprit créateur.»

Préscience, brochure n° 1

– Avez-vous eu des contacts lors de vos vols en tant que pilote?

– J'ai vu, au cours d'un vol, ce qu'on appelle un ovni, plus particulièrement dans une zone de contrôle lors d'un vol d'entraînement. Ce genre de contact visuel m'est arrivé seulement une fois en vol.

Par contre, quelques contacts éthériques se sont produits lors de certains de mes vols.

– Y avait-il risque d'accident à ce moment-là?

– Absolument pas; j'étais complètement consciente de mon rôle de pilote.

– Pouviez-vous refuser ces contacts?

– Effectivement, j'ai déjà dit non à certains contacts. Il faut faire la juste part des choses, savoir qui nous contacte, quelle dimension est intéressée à communiquer avec nous. Il ne faut pas aller au-devant d'une rencontre sans savoir qui sont ces Êtres, sans savoir ce qu'ils veulent ni d'où ils viennent. Il faut être très prudent, et surtout, garder la tête sur les épaules.

***

Naturellement, le succès de mon livre a amené beaucoup de personnes à prendre contact avec moi. Depuis, nombre d'entre elles viennent chaque semaine à ma séance de méditation. Celles qui sont intéressées au programme Galacteus participent à la deuxième partie de la soirée. Toute personne intéressée à méditer, à faire une recherche sur elle-même et à établir un contact avec la Dimension Supérieure est la bienvenue. Il y a actuellement des centres de sensibilisation dans plusieurs régions du Québec.

La réaction du public démontre la recherche d'un but commun: celui d'être mieux dans sa peau, celui de savoir qui on est vraiment, celui du retour vers le Créateur.

Parmi les personnes qui viennent régulièrement aux méditations et à l'enseignement Galacteus, j'en ai remarqué certaines qui travaillaient plus intensivement sur elles. Elles forment donc un noyau interne qui poursuit actuellement un cheminement spirituel.

J'ai demandé à quelques-unes d'entre elles de répondre à quelques questions afin de jeter un regard sur la raison d'être d'un cheminement spirituel dans la vie d'un individu.

— *Qu'est-ce qui vous a décidé à participer à ce programme?*

— Jérémie: «J'ai suivi un cours avec un médium et j'y ai rencontré un couple qui m'a dirigé vers Galacteus. Ce couple était enchanté du programme offert et, à ma demande, il m'a donné le numéro de téléphone où je pouvais rejoindre le groupe ainsi que son adresse. C'est pour moi extraordinaire.»

— Éden: «J'ai vu Yoan à la télévision et je l'ai reconnue.

Au début, je me suis approché de ce mouvement pour mieux connaître Yoan dans un premier temps et savoir vraiment si elle était la personne que je devais rencontrer pour avancer plus rapidement dans mon évolution.»

– Sara: «Ce n'est pas par hasard; j'ai vu Yoan à la télévision et en conférence. J'ai acheté son livre le soir même de sa conférence et j'ai appris qu'on pouvait faire de la méditation avec elle. Depuis un an déjà, je pensais à faire de la méditation, mais je n'avais entrepris aucune démarche en ce sens, et le 12 décembre 1991, je faisais ma première méditation. Depuis, je médite chaque jour.»

– Mikael: «À la suite d'une conférence donnée par Yoan le 7 décembre 1991 et à laquelle Sara et moi assistions parce que nous recherchions un moyen d'avancer davantage au niveau spirituel.»

– Marie-Ève: «Depuis septembre 1990, je fais de la méditation avec Yoan et lorsqu'elle nous parlait de Galacteus au tout début, je sentais intérieurement un appel, une vibration... je ne sais comment l'exprimer, mais j'avais la certitude de connaître depuis longtemps ce mouvement, tout comme les êtres qui le composent.»

– *Pourquoi vous êtes-vous engagés dans un cheminement spirituel plus important au lieu d'en rester à la méditation?*

– Jérémie: «Je n'ai jamais voulu suivre la masse. Dans ma vie, j'ai toujours senti un vide, un creux que je n'arrivais pas à combler ni par l'alcool, les drogues ou le sexe. J'ai compris que c'était par la spiritualité que j'arriverais à combler ce vide. J'ai fait des démarches assez importantes dans ma vie, j'ai traversé plusieurs épreuves et je cherchais toujours l'amour à travers tout cela.

J'essayais de comprendre qui j'étais, sans jamais trouver réponse à mes questions. Tout ce qui compte maintenant pour moi, c'est mon éveil spirituel, c'est évoluer chaque jour. Et le cheminement spirituel offert par Galacteus me permet la découverte de mon Être Intérieur.»

– Éden: «Je suis une personne qui a une grande croyance en la vie, en la survie. Depuis plusieurs années, je fais de la recherche sur les plans biblique et social. J'ai fait des recherches personnelles et collectives avec différents mouvements, allant du traditionnel au scientifique et jusqu'au non conventionnel.

Un jour, j'ai eu un contact, et cela m'a fait réfléchir sur mon avenir et sur celui des autres. Et dans tous les mouvements, j'ai perçu des gens qui espéraient passer au travers de tous les problèmes que l'on vit actuellement. C'est une chose que l'on a en commun.

Dans le programme Galacteus, on met en évidence la Grande Énergie, l'intériorisation, la paix et l'harmonie. Je voulais m'identifier à un groupe qui pouvait me faire grandir intérieurement, me donner une nouvelle vie sociale, me former à mieux me comprendre et à mieux comprendre les autres.»

– François: «Je m'engage davantage pour répondre à un appel intérieur. Je ressens l'urgence de me raccorder et d'assumer mon rôle sur le plan cosmique. Mais je dois d'abord poursuivre une démarche originale afin de retrouver et de comprendre ce que je suis en totalité, et de vivre cette totalité au quotidien.

Un cheminement spirituel me permet de rencontrer des êtres de même résonance, d'avancer plus rapidement et de m'accorder à des principes de Beauté, de Bonté et de Vérité.»

– Sara: «Chaque fois que je revenais à la maison après la méditation avec le groupe, j'étais remplie d'énergie d'amour, tellement que j'en avais de la difficulté à dormir. Pour moi, cela fut un signe, et au fur et à mesure que les semaines passaient, je sentais que j'avais trouvé ma famille énergétique. Il n'y avait pas de hasard.

J'ai commencé à recevoir des messages télépathiques pour moi ainsi que des preuves concernant le monde merveilleux de l'Invisible, et j'ai ressenti le besoin de m'engager davantage. Cela ne pouvait être autrement.

J'avais toujours cherché à combler ce vide à l'intérieur de moi, et maintenant ce vide se comble de plus en plus avec le cheminement.

J'ai trouvé ce que tout être humain cherche, souvent sans le savoir. Je n'ai jamais donné autant et je donne avec tout mon amour, car je reçois magnifiquement des êtres qui sont autour de moi et qui viennent des dimensions supérieures.»

– Marie-Ève: «Lorsqu'on construit une maison, il faut une base solide, sinon la maison risque de s'effondrer. J'ai compris qu'il manquait certaines solidifications à la charpente de ma maison, malgré la base déjà établie tout au long de ma vie. Faire mon cheminement avec d'autres êtres me permet non seulement de corriger certains détails de fondation, mais aussi de corriger là où c'est nécessaire et de compléter cette charpente, c'est-à-dire moi-même. Par la suite, je pourrai ajouter des étages supérieurs afin de monter toujours plus haut vers la Conscience Absolue.»

– Mikael: «L'engagement, de par ma nature, est nécessaire. Je me suis engagé dans d'autres organisations qui m'ont donné l'expérience nécessaire pour que je puisse la partager avec les autres.»

– *Que vous apporte votre cheminement spirituel dans votre vie présentement?*

– Jérémie: «J'ai confiance d'en arriver à ce que cette vie soit ma dernière sur cette planète. J'ai compris que j'avais un rôle, une mission à jouer. Ce cheminement m'apprend chaque jour davantage à "être". Ce n'est pas toujours facile; il y a beaucoup de barrières, mais je suis prêt à leur faire face pour aller plus loin, pour grandir toujours en direction du Père.»

– Éden: «Pour moi, il y a deux points essentiels: le premier est que ce cheminement m'apporte une formation importante sur le plan énergétique; le deuxième point est que je reçois un enseignement qui m'initie graduellement à la communication intérieure, laquelle me permet de capter cette présence plus interne en moi, et ce, d'une façon de plus en plus permanente.»

– François: «Par le cheminement que j'ai entrepris volontairement, je découvre un peu plus l'Essentiel chaque jour.»

– Sara: «Je sens de plus en plus mon niveau de conscience qui se modifie et qui s'élève, c'est-à-dire que je suis plus consciente de certains détails, à mon travail comme dans ma vie sociale et familiale.

Je suis aussi plus à l'écoute des autres et de moi-même. J'apprends à m'aimer et à accepter les autres tels qu'ils sont. Ce n'est pas facile, mais je sais que c'est possible, car d'autres l'ont fait avant moi.

Grâce au cheminement que j'ai entrepris, la vie pour moi a maintenant un sens. Je sais que j'en suis seulement à mes premiers pas et que le plus beau est à venir, tout comme les épreuves seront à la hauteur de l'évolution de ma conscience.

Ma vie de couple s'est merveilleusement transformée, car mon conjoint chemine avec moi depuis le début.

Chacune de mes méditations est un précieux rendez-vous avec la Conscience Divine qui me donne chaque jour une parcelle d'amour dont j'ai besoin pour faire grandir ma propre conscience.

Faire un cheminement dans Galacteus, c'est merveilleux, car on tient compte de tous les niveaux de l'être humain et de ses facettes. Sinon, comment retrouver cet équilibre, cet élan intérieur, cette délicatesse?

Bien sûr que la route est longue à parcourir mais il ne faut pas penser à cela. Il faut vivre le moment présent avec la plus grande conscience possible.»

– Marie-Ève: «Ce cheminement m'amène à une évolution plus à la verticale, à monter toujours plus haut vers la Dimension Supérieure.

Cela a changé ma vie. Je suis plus sereine, plus intériorisée, plus amour; je deviens chaque jour plus consciente, et quelle joie que de le sentir et de le vivre!

Mon but: mon retour vers le Père.»

– Mikael: «Ce cheminement m'apporte beaucoup de satisfaction, sans oublier la joie de partager avec d'autres êtres merveilleux et la possibilité d'aider les autres membres du groupe.»

***

Au début de ce livre, j'ai ouvert une porte pour vous donner accès à mon expérience personnelle. Je l'ai fait avec la conviction que cela aiderait certains d'entre vous à se révéler à eux-mêmes. Il est temps que je referme cette porte, car c'est maintenant à votre tour d'ouvrir votre propre porte et de faire le pas. Vous avez tout un monde à découvrir.

Fermez les yeux... respirez doucement et, pendant quelques minutes, regardez avec votre intérieur. Maintenant, vous pouvez faire un choix et décider de franchir la porte en face de vous, en prenant vos propres responsabilités.

N'attendez pas, car chaque jour qui passe vous priverait d'un soleil incomparable, d'un pas vers l'Énergie merveilleuse, vers la Conscience Absolue, vers Dieu.

Rien n'est inéluctable. Tout est possible, car ce qui vient dépend de vous; tout est donc entre vos mains. Personne, si ce n'est vous-même, ne peut vous empêcher de faire ceci ou cela.

Certaines personnes parmi vous désirent fortement ce genre de contact à l'intérieur d'elles-mêmes, sinon, elles ne seraient pas là à lire ces quelques lignes. Pourquoi ne pas laisser s'exprimer ce cri venant du fond de votre cœur? Laissez-le percer cette couche qui l'emprisonne depuis si longtemps. Permettez à cet élan intérieur que vous retenez depuis tant d'années de remonter, et laissez-le se diriger vers la Source-Centre.

Permettez-vous cette libération si attendue et désirée. Vous n'en serez que plus heureux, que plus rayonnant, que plus équilibré. Tout ce qu'il faut pour y parvenir est là, à l'intérieur de vous.

Vous le savez... Alors, pourquoi ne pas en profiter? L'instant est propice. Vous êtes seul avec vous-même. C'est le moment idéal... Allez-y... Permettez à cette Force en vous de s'exprimer vers la Dimension Supérieure. Elles sont toutes deux de la même famille, elles ne font qu'UN.

Regardez cette porte en face de vous, ouvrez-la et avancez, si vous le souhaitez. Faites encore quelques pas de l'autre côté et osez respirer cette Lumière. Doucement, calmement, profondément... osez...

Vous ne pourrez le regretter puisque, pour certains d'entre vous, c'est ce que vous désirez depuis votre naissance. J'irais même jusqu'à dire que vous êtes revenus pour vivre, entre autres, ce genre de moment unique, que bien d'autres suivront si vous osez, si vous faites acte de courage pour prendre conscience de ce qui se présente à vous aujourd'hui.

Il s'agit d'oser une première fois. Ouvrez cette porte consciemment et volontairement. Alors pourra commencer la grande aventure avec vous-même, en continuité avec Dieu. Allez-y... prenez le temps de vivre cet instant... Je vous attends pour terminer ce livre.

***

Maintenant, je veux vous féliciter d'avoir osé, de vous être offert ce magnifique cadeau.

Après ces premiers pas pour retrouver votre dimension intérieure, il y a bien d'autres moments cosmiques et magiques qui vous attendent.

Savourez bien la suite de cette magie divine... Respirez très calmement, doucement. Souriez, car vous avez réussi à vous rapprocher de la Source qui est en vous.

Que la Paix soit en vous
et
Que la Conscience Absolue vous guide.

BIBLIOGRAPHIE

Appel-Guéry, I.J.P. *Idylle Spirituelle*, Mennecy, Éditions Ediru, 1992.

Appel-Guéry, I.J.P. *La Science Unitaire de l'Intra-Univers*, Gièvres, Éditions Transtar, 1991.

Appel-Guéry, I.J.P. *Méditation de Subtilisation* (cassette), Gièvres, Production Transtar, 1990.

Appel-Guéry, I.J.P. *Message d'Harmonie* (cassette), Gièvres, Production Transtar, 1990.

Prescience, fascicules 1, 2 et 3, équipe rédactionnelle Intéral, Gièvres, Association Sidérella, 1990.

Rœrich, Nicholas. Shambhalla, Sherbrooke, Éditions du 111e millénaire, 1990.

Warren, Johann. *Les Ailes de l'Amour*, Boucherville, Éditions de Mortagne, 1991.

Achevé d'imprimer
en novembre 1992 sur les presses
des Ateliers Graphiques Marc Veilleux Inc.
Cap-Saint-Ignace, Qué.